オオカミの言《い》い分《ぶん》

かわい有《ゆ》美《み》子《こ》

ILLUSTRATION：高《たか》峰《みね》顕《あきら》

オオカミの言い分

LYNX ROMANCE

CONTENTS

オオカミの言い分

一章

I

『さあっ、今年もいよいよ師走となりました。街が一気にクリスマスモードになってきましたねぇ。さっき、僕がこのスタジオに来る前に渋谷の駅を通りかかったら…』

中年のキャスターが、やたらテンション高く画面の中で喋《しゃべ》っている。

カレーショップのカウンター席の上のテレビが、昼恒例の番組を流しているところだ。

麹《こうじ》町のこのカレーチェーン店では、ウィンドウに申し訳程度の雪のオーナメントが貼《は》りつけられているが、その安っぽさがかえって侘《わ》びしい。

「高岸《たかぎし》先生、今日はここだったんだ？」

よく通る深みのある声に後ろから呼びかけられ、カウンター席でカツカレーを頬張《ほおば》っていた弁護士の高岸恒《こう》は振り返った。

ほぼ毎日、的確に高岸のランチポイントに出現する男には、呆《あき》れるやら感心するやらだ。

「こんにちは、末國《すえくに》先生」

さっきまでは殺伐とした思いでカレーを口に運んでいた高岸は、同業である末國有智《ありとも》の顔を見た瞬間、昨日の晩に見た番組を思い出した。

笑いをこらえきれず、高岸は唇の端をひくりと引き攣《つ》らせる。

「何？　高岸先生、何か面白《おもしろ》いことでもあった？」

最近、メディアでもてはやされている六歳上の若手弁護士は、めりはりのある知的に整った顔立ちでやたらと目立つ。

末國はその顔にさらに華のある明るい笑みを浮かべ、コートを脱ぎながら尋ねてきた。

中身はかなりブラックなくせに、見た目にはそんな要素の少しもない、スマートで誠実そうな笑顔を作れることが不思議だ。

ほとんどが昼間のワイドショー枠ではあるが、この末國という男は、最近、よくテレビ番組に出ている。準レギュラーとしての番組は二本、他《ほか》には不定期にコメントを求められて出る番組がいくつか。見た目がよくて独身なせいか、女性誌を中心としたメディアにも引っぱりだこで、常にどこかしらでインタビューだの法律相談だのをやっている。

その顔を見知る人間も少なくはないというのに、こんな食券購入制の安いカレーチェーン店に入ってくるのは平気らしい。

見るからに上質なスーツと、品と光沢のあるパープル系のネクタイが、くたびれたサラリーマンの中では少々浮いている。

「今日もカツカレー？　本当に好きだねぇ。そんな高カロリーなものばっかり食べてたら、すぐに腹が出るよ」

店員にシーフードカレーの食券を渡した末國は、当然のような顔で高岸の隣に座る。

「先生と違って若いんで」

「おーや、生意気な。四捨五入したら俺《おれ》と一緒だろ？　いつまで若いつもりでいられると思ってんの」

末國は形のいい鼻先でせせら笑う。

「でも、どれだけ努力しても、年齢では先生に追いつくのは無理ですから。すごく残念です」

にっこり笑って言い返した高岸に、末國もにっこり笑ってムニッと高岸の片頬をつねり上げる。

「ちょっ…、何するんですか？」

痛いじゃないですかとその指を押しやる高岸に、末國はけしてテレビの前では見せないダークな表情でささやく。

「謙虚さのない生意気な後輩に教育的指導だよ、指導。年長者の言うことは謙虚に聞きたまえよ」

「年長者なら、もう少し大人げっていうものがあってもいいんじゃないですか？」

「成熟した大人の魅力なら、山ほどあるんだけどね」

べー…、などと大人げなく舌を出し、ぬけぬけと言ってのける面の皮の厚さに、言い返すのも馬鹿《ばか》馬鹿《ばか》しくなって高岸は黙り込む。

まるで歳の近い同僚のように口をきいているが、これでも末國は高岸よりも六つほど上だった。ただ、司法修習の同期以外では、今一番親しい弁護士でもある。

今のところ、末國にとっては弟分扱いといった感覚だろうか。なぜか高岸を気に入ってくれているようで、将来は一緒に事務所やろうよと始終口説いてくるが、なまじ口がうまい男なのでどこまで本気なのかはわからない。

「でも、カツカレーってかなり高カロリーだろ？　何かストレスでもあるの？」

「うちの事務所、色々ストレス溜《た》まるものですから」

高岸はぼそりと言い捨てる。

「だから、うちに来れば？…って言ってんのに」

「いいです、別に。僕は谷崎《たにざき》先生も三和《みわ》先生も、尊敬してますから」

「じゃあ、どうしてストレス溜まるよ？　美容にも悪いよ」

「別にストレスがなくても、この顔なんです」

女の子じゃあるまいし、と高岸は手を入れなくても細めの眉《まゆ》を跳ね上げる。仮に女の子であれば、ずいぶんなセクハラ発言だ。

見てくれがメディアで十分に売り物となる末國とは違って、高岸は弁護士だと言うと、まず相手が不安そうな顔となる。

もともと歳よりも若く見える容貌《ようぼう》に加えて、線の細い生真面目《まじめ》そうな見た目が、さらに不安材料となるらしい。身長も平均程度で身体《からだ》に厚みはなく、ガッチリとしていて頼りがいがあるなどという形容とはほど遠い。

組織に所属する検事や裁判官とは異なり、あえて弁護士などを選択するだけあって、高岸もそれなりに向こうっ気は強い。

そんな気の強さはある程度顔には出ていても、逆にそれが線の細い見た目と合わさると、実力も伴わないのに気負いすぎている、あるいは何の経験もない若造…、などと受け取られるらしい。

まだ三十にもならない年齢的な若さもあって、重みがなく、依頼側としては懸念材料になるようだ。

同じ弁護士事務所の三和は、三十歳そこそこの弁護士なんて、皆そんなものだと笑う。

しかし末國はうまいメディア進出が幸いしたのか、すでに隣のビルの『岩瀬《いわせ》総合法律事務所』でもいっぱしの共同経営者だった。

かたや、高岸は俗にいそ弁と呼ばれる居候《いそうろう》弁護士になったばかり、早い話が雇われ弁護士の身だった。

基本、弁護士はひとりひとりが個人事業主だ。

事務所の経営にまつわる些末《さまつ》な諸問題に煩わされず、本業に専念したいと、意図して雇われ弁護士でいる者もまれにはいる。

しかし、高岸の場合は大多数のいそ弁と同じく、単なる新米見習い弁護士だった。司法修習を終えたばかりで、個人で事務所を構えるほどの資金力も仕事もないため、見習いも兼ねて『谷崎・三和法律事務所』に所属している。

いわば新入社員扱いの、使いっ走りだ。

弁護士の場合、他業種に比べて、その新入社員扱いの期間が少々長い。なので、今年二十八歳になる高岸も、まだまだ見習い同然の扱いだった。

まだ若くて容姿に重々しさがないためか、谷崎や三和の代理で仕事先に赴いても、代理の弁護士ではなく、単なる事務員だと思われることも多々ある。

隣に座る末國は六歳ほど上だが、三十前のちょうど今の高岸と同じ年頃《としごろ》からポツポツとテレビに出始めていた。

高岸はまだ司法試験合格を目指して勉強中だった頃だ。

当時は末國も高岸と同じようにいそ弁だったらしいが、もともとの高身長に加えて、大人びた容貌、おだやかな話しぶりのせいか、とても落ち着いて見えた。

知的で物腰が穏やか、歳が若い分、些細な問題にも誠実に答えてくれる弁護士として、テレビ出演当初から世間的な評価も高かった。

高岸も何となく、自分も三十になればこんな落ち着いた受け答えのできる弁護士になれるのではないかと、過剰な期待をしていたものだ。

色んな意味で現実を知るまでは…。

「ストレスの原因は大橋《おおはし》さんです、大橋さん」

高岸は溜息《ためいき》交じりに谷崎・三和法律事務所の事務を一手に握る、年配の女性事務員の名前を挙げる。

お腹《なか》周りも腰回りもどっしりした、経費と備品管理にうるさい、おっそろしいおばちゃまだ。

それこそ、高岸が中学生の頃から、あの事務所の事務員を務めているらしい。谷崎や三和も一目置いているし、高岸などはまったくのお子様扱いだ。

高岸が事務所に入ってすぐは、それこそ電話の受け答えや封筒の宛名《あてな》書きの基本から叩《たた》き込まれた。

ともすれば、新人には欠けがちな社会人としての基本を一から教わったのはありがたいことかもしれないが、いまだに頭が上がらない。

それどころか、今日のように安易にタクシーに乗ったなどと叱《しか》られ、責められる。

確かにその件については、高岸も次の時間に遅れそうになったので走ろうか、タクシーのほうがいいかと一瞬迷ったほどの微妙な距離だが、まがりなりにも弁護士がスーツ姿で街中を全力疾走するのもどうかと思う。

そう大橋に言ったところ、時間に間に合うように依頼者の話をうまく切り上げるのも立派な弁護士の務めだと、がっつり本気で叱られた。

「ああ、しっかりされてるよね。うちの岩瀬先生がいつも感心してるよ。経済観念ががっちりしてるから、頼りがいがあっていいって。ほら、うちの事務員、若い女の子が多いせいか、いまいち浮ついてて。すぐに結婚退職だ、出産だって、メンツがコロコロ変わるしさ」

「いつでも取り替えて差し上げたいですね。このあと、今すぐでもいいです。僕も一度ぐらい、『うちの事務所、女の子がコロコロ変わっちゃって困るんだよねぇ』ぐらい言ってみたいものです。この調子だと、大橋さんは定年まであの席にドカンとおっきなお尻《しり》を据えてると思うんですよ」

カツを乗せたスプーンを手に、高岸はぼやく。

昼食で油物に走る中高年の気持ちが、最近になって切実にわかるようになってきた。高カロリーの食事によって鎮静作用のあるエンドルフィンが分泌されるというが、原因は絶対にストレスに違いない。

「末國先生の事務所の鹿島《かしま》さんとかと、本気で代わってくれないですかね？」

「鹿島あやさん？」

巨乳、色白、眼鏡っ子と三点揃《そろ》った、岩瀬総合法律事務所の可愛《かわい》い女性事務員と代わってくれないかという高岸の心からの願望を、末國は再度鼻先で笑う。

「またぁ…、鹿島さんの胸に目が眩《くら》んだ？」

「いや、普通、目がいくでしょ？　飾り気のない白のブラウス着てても、胸のあたりがふっくらと盛り上がってて…」

「高岸先生ったら堅物そうに見えるくせに、このむっつりスケベ」

末國に肘《ひじ》で突かれ、高岸は横目に睨《にら》む。

「別に過剰にそのことばかり考えてるんじゃありませんよ。一般論として、普通にいいなって…」

「でも先生、まがりなりにも文系だろ？　そんな表現力で大丈夫？　女体を表現するにしてもさぁ、もうちょっと言い方ってものがあるんじゃない？」

冷やかす末國に、高岸はむっと眉を寄せる。

「男が胸に目が眩んで、いったい何が悪いんですか？」

さすがにこんな真っ昼間から巨乳がいいなどと店内で声を大にして公言するのははばかられ、声を潜めて抗議しても、末國は涼しい顔で言い放つ。

「言っちゃなんだけど、高岸先生の目が眩んでるのは、多少の大小はあれど、単に乳腺《にゅうせん》と脂肪からなる組織だからね。まぁ、確かに普通は女性しか持たない組織だけどさぁ」

テレビの中ではいつも知的に爽やかな若手弁護士が、女性の胸について、あれは単に乳腺と脂肪からなる組織だから、と平然と言ってのけるだなどと、誰《だれ》が信じるだろう。

「先生こそ、本当に文系なんですか？　女性の胸を乳腺と脂肪による組織だなんて、夢の欠片《かけら》もない」

あれほど素敵《すてき》な巨乳を相手に、恐れ多くて顔が引き攣るじゃないかと、高岸は抗議する。

「夢じゃ、ご飯は食べられないからね」

運ばれてきたシーフードカレーに手をつけながら、末國はしれっと言い返す。

まったくもって夢も希望もない男だ。

高岸は攻め方を変えようと、そんな末國へとひょいと顔を近づける。

「だいたい、末國先生、昨日のワイドショーのあれは何です？『りんご・はちみつ・チョコレートとは、何の隠し味でしょう？』っていうクイズに、『恋のスパイス』っていう答えは」

「あー…」

高岸の指摘に、末國はここへ来て初めて目を逸《そ》らす。

ワイドショー番組のクイズコーナーで、キャストが答えて景品をあて、それを抽選で読者にプレゼントしようという企画だった。

主婦の法律相談コーナー担当の末國はゲスト参加だったが、その答えをぬけぬけとボードに書いてみせた時には、高岸も我が目を疑った。

なまじ、末國がそこそこ達筆なのがよけいに寒い。

「あれは呆れた、心底呆れました。よくもまぁ、あんな恥ずかしいことを平然と答えてみせるもんだと。そもそも何の隠し味かって聞かれてんのに、スパイスって答える人がいますか？　弁護士が論点のすり替えやってどうするんですか」

「むしろ、弁護士が論点のすり替えを出来なくてどうするんだよ。にっこり笑って、すり替える。こんなの弁論術の基本だろ？」

「僕はもう少し高みを目指してるんで、そんな卑劣な真似《まね》はしたくないです」

「すみませんねぇ、志が低くて」

けっ…、などと末國はここに来て本性に近い素地を見せる。

「いやぁ、昨日は本気で顎《あご》が外れそうになった。もう、首筋まで鳥肌立ちましたよ」

ねぇ、と白い目を向ける高岸に、末國は行儀悪くカレーをスプーンの先でかき混ぜる。

「ほら、俺、料理しないから、隠し味って言われてもさー…」

微妙に声のテンションを落とす末國に、高岸はここぞとばかりにたたみかける。

「料理しなくても、普通、知ってるでしょう？　知らなくても、『恋のスパイス』はないですよ。どの面下げて言ってるのかと。『弁護士界の若き帝王』たる者、あれぐらい面の皮が厚くなくちゃやっていけないんですか？」

「ああいうのってさ、あらかじめ脚本があるのよ」

ワイドショーでは毎回、『弁護士界の若き帝王』などと、他の若手弁護士に失笑されているのではないかと心配になるほど小っ恥ずかしい肩書きで登場する末國は、力のこもらない声で説明する。

さすがに『弁護士界の若き帝王』という枕詞《まくらことば》は、末國も本意ではないようだ。むしろ、あれが本意であるなら、高岸も不安になる。

「その通りに話してないと、あとでディレクターから俺の頭越しに岩瀬先生に直接ネチネチ言われるから。俺もうちの事務所じゃ、まだまだ下っ端だし？」

さすがにあの答えはどうかと思ったのか、末國はカウンターに肘をついてあらぬ方向を見やる。

「確かにあの答えは俺もどうかと思ってるよ。でも演出家曰《いわ》く、『親しみやすい若手弁護士』のイメージを作るための演出なんだって」

「視聴者を馬鹿にしてるんじゃないですか？　世の中の弁護士も皆、馬鹿だと思われますよ。そんな脚本、作る方がどうかしてると思いますけど」

「まったく、何考えてんのかな？」

番組中はにこやか、かつ爽やかにボードを掲げていたが、回答について他のキャスト全員から突っ込まれてもノーコメントだった末國の胸の内は複雑だったらしい。

年齢以上にしたたかな人間だと思うが、確かにあの答えは末國らしくはない。

「だいたい高岸先生に教えてなかったのに、どうしてあの番組出演のこと知ってるわけ？　俺、出るって言ってないよね？　まさか、まっ昼間から家でワイドショー見てたわけじゃないだろ？」

末國のこの言いようでは、さすがにあのクイズコーナーは見られたくなかったのか。

「岩瀬先生が、メールくれたのでちゃんと録画しておきました。『今週、あの番組に末國先生が出るから見てね』って」

高岸は常日頃から社交的で口数多く、メールや電話もまめな岩瀬の名前を挙げる。

末國の所属する、総勢十名を超える大手法律事務所『岩瀬総合法律事務所』を取り仕切る、年配のやり手弁護士だ。

「よもやお悩み法律相談コーナーのあとに、あんな素敵クイズが待ってるとは思ってなかったですけど。夜中に笑い死ぬかと思いましたよ」

はははははー…、と指さしてやると、末國は眉を寄せる。

「さっき、鳥肌が立ったたって言わなかった？」

「ええ、鳥肌のあとに笑いが止まらなくなって。爆笑しました」

今になって再び笑いがこみ上げてきた高岸を、末國は苦虫を噛《か》みつぶしたような顔で睨む。

「夜中に副交感神経を活性化できて、よかったじゃない。俺のおかげでよく眠れただろ」

「おかげさまで実によく眠れました。寝つく寸前まで楽しかったですよ。すっきり快眠です」

ふふんと言いかけた頬を、再びムニッと上からつままれる。

「痛っ！　何ふる…」

「君もねぇ、もうちょっと業界の先輩には敬意払いなさいよ」

「敬意払って、最後まで番組見たじゃないですか。あそこで笑い死にしそうになりましたけど」

「本当に減らないお口だねぇ」

末國は高岸の頬から手を離すと溜息をつく。

「俺もテレビなんかに出ると、色々辛《つら》いんだよ。見た目も完璧《かんぺき》な上に、頭のいい受け答えだけばかりだと敬遠されるから、適度なボケが必要なんだって」

「見た目も完璧だなんて、自分でぬけぬけと言ってしまえるほどの腹黒さを正直に晒《さら》せば、もっと一般受けするんですよ。下手にいい男ぶるからよくないんじゃないですか」

普段、色々とつつき回されている分、大橋にやっつけられた腹いせも兼ねて、高岸はここぞとばかりに末國をやりこめようとする。

「ちゃんと録画しましたから、あとでＤＶＤに焼いて渡しますね。それとも、もう録画されてます？」

「…いらないって、あんな低俗番組」

「そう言わず、老後の記念に」

「あの頃はお金のために、俺も色々がんばってたんだなぐらいにしか思わないから」

爽やかな見た目に似合わぬ図太い一面を持ち合わせた末國は、いつものしたたかさを持ち直してきたのか、高岸を横目に見た。

「だいたい、俺にそんな姑息《こそく》な嫌がらせをしようっていうのなら、俺にも考えがあるよ、センセイ」

末國は整った顔を寄せてくると、ニッと笑った。

末國がセンセイなどと独特の節回しを見せる時は、そのブラックさを露呈する時だと決まっている。

高岸は身構えた。

「何です？」

「もう十二月だし、うちの事務所も近々忘年会があるからね。多分、偉い先生方抜きで、若手ばっかりの忘年会もやると思うんだよねぇ」

「…若手？」

「そう、若い事務の女の子達《たち》も含めた忘年会。今年は俺が幹事だから…」

末國は思わせぶりな目を見せる。

「事務の女の子も呼ぶんですか？」

「そう、センセイも来たいよねぇ？　もちろん、高岸センセイのお気に入りの巨乳ちゃんも来るよ」

「巨乳ちゃんって、僕の目的が鹿島さんの胸ばっかりみたいに言わないでもらえませんか？」

失敬な、と高岸は憤慨する。

「じゃあ、具体的に鹿島さんのどこに惹《ひ》かれたの？　まだ、ほとんど話したことなかったよね？　俺は知らなかったけど、高岸先生は眼鏡っ子属性でもあるわけ？」

別にちょっといいなと思っただけで、どこがいいのかと執拗《しつよう》に食い下がられると少々困る。

「いや、色々あるじゃないですか。セミロングでちょっと知的な雰囲気とか、そのわりにふわんとしたやわらかな笑顔とか。末國先生は、いいと思いませんか？」

高岸が尋ねると、末國は少し眉を寄せる。

「うーん、俺はまださ…、もうちょっと色恋沙汰《ざた》はいいかな…」

普段はかなりいい性格の末國も、かつて結婚を考えていた相手に振られた過去があるらしく、自分の恋愛話となるとこうして眉を曇らせ、曖昧《あいまい》に言葉を濁してしまう。

あまり詳しくを語りたくはないような素振りを見せるので、必要以上に聞くのは悪いかなと思って、突っ込んで尋ねたことはない。

そのあたりが高岸の甘いところで、末國自身、性格的にアクは強いが、結婚するにはそう悪い男ではないのに…と、そんな表情を見せられるとついつい同情を寄せてしまう。

結婚となると一生を左右するだけに、何でも強引、かつ器用にこなしそうな末國でも、そう簡単に話は運ばないのかもしれない。

でも、まぁ…、と気分を切り替えたのか、末國はふっと笑って見せた。

「高岸センセイも十二月はお忙しいことでしょうから、俺だって無理にうちの事務所の忘年会に参加しませんかとは、とても言えないけどねー」

末國はまた、ちらっとこちらを思わせぶりな目で見る。

こういうあたり、やっぱり喰《く》えない男だ。

六つも年上だというのに…、と高岸は唇を噛む。

末國の事務所では、職場の事務員を個人的にコンパや食事などに誘うのは、昨今のパワハラやセクハラ訴訟の多発なども鑑《かんが》みて原則禁止らしい。

大手法律事務所なので、そこいらの事務所以上に所内モラルに厳格なのはわかる。

なので、次に何か職場の公式飲み会があれば誘ってあげるよと言われて、実は心密《ひそ》かに楽しみにしていたが…。

「…末國先生、よければコーヒーでも奢《おご》りましょうか？」

「センセイは俺をそんな安い男だと？」

安い男も何も、恋のスパイスなどと臆面《おくめん》もなくテレビで言ってのける男がそうお高いとも思えないが…と、高岸は目の端で末國を睨む。

「何がいいんですか？　僕、まだ薄給ですから、お手柔らかにお願いしますよ」

高岸はやや下手に申し出た。

末國はちらりと高岸を横目に眺める。

「もうすぐ、センセイもボーナス出るよね？　いくら、いそ弁とはいえ」

「先生、ガンガンテレビに出てて、しかもとっくにいそ弁枠外れて、僕よりいっぱいもらってるくせに、僕のなけなしのボーナスにたかる気ですか？」

「俺はもう、いそ弁枠を外れて、十二月は女の子達にボーナス払わなきゃいけない個人事業主の立場だもん。十二月は懐が寒いのよ。うちの事務所、女の子だけで八人もいるからね」

ああ、寒いなぁ…、などと色男はカウンタースツールに脚を組み、しれっと呟《つぶや》く。

高岸などよりはるかに高給取りのくせに、懐が寒いなどとぬけぬけと言ってのける面の皮の厚さには感動すら覚える。

「あ、センセイのお気に入りの巨乳ちゃんは、うちの新しいいそ弁君もロックオンしてるみたい。センセイ、出遅れちゃうかもしれないなぁ。これから年末年始と、恋人イベント目白押しだからねぇ。年明けにはもう、センセイには打つ手がなくなってるかもしれないね」

「えっ…」

ざーんねんなどと言われ、高岸は真顔となる。

何が何でも絶対に鹿島さんを落としたいと思っているわけではないが、ここ数年ではダントツ一位で高岸のツボにストライクな女性だった。

世間では医者と並んで高収入の筆頭株のように思われているが、若く魅力的な女性との出会いが、あるようでないのが、弁護士の世界だ。

あとからぽっと入ってきたいそ弁と、さっさと二人で幸せになりますと言われても、それはそれで切ない。

「俺さぁ、いい店知ってるのよ。隠れ家フレンチ」

「隠れ家フレンチ？」

またこの男は妙なことを…、と高岸は尋ね返す。

「そう、カウンター席しかなくて、いつも予約でほとんど埋まってるらしいんだけど、他ならぬ高岸先生のためだからね。こうなったら俺がどんな姑息な手を使ってでも、必ずやディナー予約を勝ち取ってみせましょう」

どんな姑息な手を使うのかは知らないが、平然とそう断言してみせるほどに黒い男だ。

「どう？」

ちょっと待って下さい、と高岸は眉を寄せた。

「何が嬉《うれ》しくて、男二人でこんな師走にフレンチのディナーに行かなきゃならないんですか？　この時期のフランス料理店なんて、カップルか女性客で埋まってますよ。クリスマス前の大事な時期に、その稀少《きしょう》なカウンター席を必要としている人達に譲ってあげましょうよ」

ふふん、と末國は意地の悪い笑みを見せる。

なまじいい男なだけに、こんな笑みもがっつり様になる。

高岸にはとても真似できない、悪辣《あくらつ》さがいい感じに滲《にじ》んだ表情だった。

「へぇ、センセイの巨乳ちゃんへの想《おも》いは、たかが一回のフレンチディナーよりも安いんだ？　言っちゃなんだけど、男としてそれはどうかと思うよ？」

「いや、だってそれ、一緒に食べるのは鹿島さんとじゃなくて、末國先生とじゃないですか。なんでそれで僕の愛の高い、安いを問われなきゃいけないんですか？」

ああ言えばこうと、本当にこの男は口が減らない。

仕方ないなぁ、とシーフードカレーを食べ終えた末國はスプーンを置いた。

「そこまで言うなら、俺・も特別に払ってあげてもいいよ」

その言いように、なんだかむかっ腹が立ってきた。

だいたいにおいて、この男は素直じゃない。

「僕とそのフレンチの店に行きたいっていうなら、正直にそう言って下さいよ。ちゃんと一緒に行って、あ・げ・ま・す・から！」

「仕方ないな。そこまで言うなら、高岸先生の分も俺が持ってもいいよ。本当に美味《おい》しいらしいから」

言い方こそ押しつけがましいが、予約の取りにくい隠れ家フレンチでタダ飯と聞くと、高岸もかなり心が動く。

「……本当ですか？　僕の分も、奢ってもらえるんですか？」

「特別だよ？　美味しいフレンチが食べられて、さらにはうちの事務所の忘年会にも参加できる。高岸先生ったら、ラッキー」

末國に調子よく脇《わき》を小突かれ、高岸は皮算用でゆるみかけた頬を隠すため、小さく咳払《せきばら》いをする。

「…まぁ、そうかもしれませんね」

何だかんだと口八丁手八丁の末國にうまく丸め込まれ、男二人きりのクリスマスディナーの約束を取りつけられた高岸だったが、末國の奢りならいいかと思った。

Ⅱ

「先生、お疲れ。今日はこの間よりもスコア上がったね」

ゴルフクラブの脱衣所でタオルを抱えた末國が声をかけると、高岸はいや…、と溜息をつく。

派手《はで》好きで社交好きな岩瀬から、今週末のゴルフ、よかったら高岸先生も一緒にどうかなと声をかけられ、今日は早朝から共に末國の車で高岸を拾い、山梨のゴルフ場までやってきていた。

高岸は負けん気は強いが、何分、根っこが真面目なので、落ち込んでいるのもありありとわかる。いつものようなテンポのいい言葉が返ってこない。

「高岸先生、最後の方は調子上げてきてたでしょう。あの調子だよ、がんばって！」

今日のトップスコアを叩き出した岩瀬は、かたわらを通りかかる時に陽気に声をかけ、上機嫌で浴場の扉を開ける。

「僕もまだまだですねー」

ふぅ…、と溜息をつくあたり、根がくそ真面目でしみじみ可愛い。

はじめたばかりでそうそういいスコアが出るわけがないが、歳の近い末國が相手だと高岸も色々とチャレンジ精神に火がつくようだ。

高岸は司法修習を終えてすぐに、隣のビル入っている『谷崎・三和法律事務所』に採用された。

同じ職場にいる男性は五十代半ばの弁護士の谷崎、そして四十代半ばの三和だけだ。事務担当の女性も、高岸が怖《おそ》れている五十代半ばの大橋のみだ。

司法修習の同期とは始終会えるわけでもなし、必然的に職場と歳の近い同業である末國と親しくなる。

…というより、末國の方で意図的に親しくなった。

今年の春、たまたま駅で顔を合わせた際、谷崎から新しくうちに来た弁護士の高岸君だと紹介され、名刺を交換した。

以来、末國はせっせと高岸の攻略にかかった。

ノンケだとわかっていたが、まずはすっきりと清潔で真面目そうな見た目が気に入った。目尻が上がったきつめの目だが、全体的には整った顔だ。真面目さと気の強さが、線の細めの顔に共存してるのがいい。

中肉中背というには身体の厚みがやや足りないが、明晰な雰囲気のせいで、ひ弱な印象は受けなかった。

逆にいかにもしなやかで、いい感じに末國の腕の中に馴染みそうな身体つきだ。

濃紺のスーツとブルーのネクタイ姿に、弁護士としては本当に右も左もわかっていない新人らしいフレッシュさがあって、きっちりした挨拶《あいさつ》にも好感を覚えた。

事務所も近いので…と飲みに誘ってみて、さらに気に入った。見た目よりも口数は多く、鼻っ柱は強い。単におとなしいばかりでなく、ああ言えばこうと、それなりに言い返してきて手応《てごた》えがあるのも楽しい。

だが、根っこが真面目な常識派だ。ちゃんと正義感もある。人格者で知られた谷崎の事務所に採用されただけのことはあるなと思った。

末國に対して気を許しているせいなのか、しゃちほこばった優等生タイプではなく、ちょっと生意気な一面を見せるところも可愛い。

末國自身がしたたかな性格なので、よけいに気に入った。

「最後のコースなんかは、どうしても目の錯覚で狙《ねら》いにくいからね」

ゴルフウェアを脱ぎながら声を掛けると、キッとした視線が向けられる。

「情けは無用です。いつか必ず、先生に勝ってみせますから」

「へぇ、怖い、怖い」

末國の言葉に、高岸はむぅ…、と口を引き結んだ。

この細腰がいいよなぁ、と末國は眉ひとつ動かさないまま、上半身裸となってベルトに手を掛ける無防備な高岸の姿を堪能《たんのう》する。

今年で二十八歳になったはずだが、肌の肌理《きめ》が整っているせいか、三、四歳は若く見える。

ウブな形の乳首などは子供のような淡いピンクベージュで、犯罪級だろ、それ…、と末國はしれっとした表情のまま、横目に服を脱ぐ高岸を眺める。

この可愛い形の乳首を舐《な》めまわしてつねって引っ張って、このすかした顔にベソをかかせてやりたいなどと言ったら、高岸はどんな顔を見せるだろうか。

末國有智、三十四歳。

見た目と収入にはまったく不足のない、独身ライフを謳歌《おうか》する弁護士だった。

自分の容姿のよさは昔から熟知しており、スマートな物腰と適度な愛嬌《あいきょう》で、世の中をかなり楽に渡ってきた筋金入りのゲイだ。

最近の悩みといえば、テレビ出演で顔を知られたことによって、無節操に相手を口説くことが出来なくなったことぐらいだろうか。

かわりにこうして可愛くてウブな優等生がすぐ近くの弁護士事務所に来てくれたので、ノンストレスどころか日々が明るく楽しい。

事務所が異なるので毎日とはいかないが、週に三、四日以上は食事を共にしている。

高岸のランチに赴く場所は完全に把握しているし、高岸は曜日によっても行く店の傾向が決まっているので捕捉しやすい。

それに加えて週に一度はこっちからメールで、夜の飲みや食事にせっせと誘っている。

末國の事務所にも歳の近い弁護士がいるが、まったく好みではないので、食事に一緒に行くことなどほとんどない。

高岸はなまじ歳の近い同僚がいないので、事務所の近い末國を同僚感覚でとらえているようだが、末國だって同じ事務所でも興味のない人間は誘わない。

単にロックオンしているから、食事だ、飲みだと誘っているのに、気づいていないのがまたちょいニブで可愛い。

ちなみに高岸は司法試験に二回落ちているので、末國に比べれば年齢差以上に実務経験が浅い。

とはいえ、ぎりぎり新司法試験の恩恵を受けられなかった世代だ。旧司法試験の難易度は非常に高く、ストレートで通る人間などほとんどいなかったので、別に高岸だけが特別に経験が浅いわけではない。

ただ、同じ三十前の男に比べれば、少し世間知らずでスレていないだけだった。

司法試験に受かるまでは、それこそ皆必死で勉強する。こと高岸は根が真面目なので、適度に遊んでリフレッシュなどとぬるいことは考えず、それこそ必死に勉強していたようだ。

受かれば受かったで、やはり性格的に修習仲間の内でも真面目で律儀なグループに属し、羽目を外して遊ぶなどということもなかったらしい。

特に谷崎は精神的にキツい債権回収や、親権の絡んだドロドロの離婚問題などといった嫌な仕事をまだ高岸にやらせたりしていないので、高岸本人が考えている以上に世の荒波に揉《も》まれていない。

時々、そのピュアさには感動すら覚える。

末國が女性に興味を持たないのは、過去に理想の相手に結婚を断られて以来、それを超える相手がいない、あの時の心の傷を忘れられない…などと子供も信じないような嘘《うそ》を、本気で信じてくれているぐらいだ。

こうして隣で無防備に服まで脱いでくれるのだから、つくづくゲイでよかったと、末國はそんな気持ちなどおくびにも出さずに思った。

こんなウブで稀少なカワイ子ちゃんが、これまで男女共に手つかずでいてくれたことがありがたい。

何分、高岸は真面目なので、誰かしらとつきあえば、最終的には結婚という形で責任を取ろうとする典型のような男だ。

もっとも高岸の出身である国立大学では法学部そのものに女子が少ないし、司法浪人といえば無職も同然で将来必ず試験に受かるという保証もない。世間的にはニートも同然で、女子受けはすこぶる悪い。

司法修習時代も、やはり女子は圧倒的に少数だ。

さらに加えて、弁護士というのは普段は妙齢の女性との出会いがほとんどない。コンパに積極的な友人がいなければ、あとは見合いぐらいだろうか。

その点、あの谷崎・三和法律事務所のメンバーはわりにおっとりしていて、あまり高岸に積極的に見合い話を斡旋《あっせん》しようという気もないようだ。

若い弁護士には、単品では仕事の依頼などまず来ないので、職場に妙齢の女性事務職員などがいなければ、高岸のように本当に日がな一日、年配の男性ばかりと顔を合わせて過ごすことになる。

末國と異なり、性格的に裏表のない高岸に、試験勉強と女性との交際の二本立てという器用な真似が出来るはずもなく現在に至る。

さらに喜ぶべきは、自分のような下心いっぱいのゲイが、これまで高岸の周りにいなかったことだろうか。

「…何ですか？」

服を脱いだ肩にバスタオルをかけた末國を、高岸はじっと見上げてくる。

「何ですかって、何？」

「こっち見ないでください」

シッシと高岸は手を動かす。

「別にいいだろ、減るものじゃなし」

「そういう問題じゃないでしょう。脱ぎにくいんですよ、見られてると」

「ああ、失礼。そんなつもりはなかったんだけど」

思いっきりそんなつもりはあったが、末國はしれっと言ってのけると先に浴場へ入った。

「ちょっと末國先生」

洗い場で岩瀬が招く。

「はい？」

隣の洗い場に腰を下ろすと、背中をタオルでこすっていた岩瀬はひょいと顔を寄せてきた。

「『奥様タイムズ』のディレクターがさ、今度ゲストに来る女優の山県《やまがた》ちとせが末國先生のファンらしいから、共演させていいかって聞いてたけど」

「ああ、そうなんですか、ありがとうございます」

共演者についての決定権などまったくない上、女優にも全然興味がないので、末國はいい加減な返事を返す。

「山県ちとせ、いい女じゃない」

岩瀬はタオルをゆすぎながら横顔で笑う。

「そうですね」

「本当に棒読みだねぇ」

末國がゲイであることを知る岩瀬は、楽しそうに笑うと立ち上がって浴槽に行ってしまう。

華やかな美人が好きな岩瀬には、ゲイの感覚はこれっぽっちもわからないようだが、それはそれで個人の嗜好《しこう》だと割りきってくれている。まったくの他人事だ。

以前、岩瀬を通し、末國を名指しで持ち込まれた見合い話を断る際、自分はゲイなので女にも結婚にも興味がないと正直に打ち明けたが、君はうちのドル箱だから公言しないでねと釘《くぎ》を刺されただけだった。

別に金になれば、ゲイだろうがバイだろうが知ったことじゃないというドライさが、末國が岩瀬とうまくやっていける理由だろうか。

「先生、山県ちとせ、好きじゃないんですか？」

途中から横に来ていた高岸が、髪を洗いながら不思議そうに尋ねる。

今一番旬《しゅん》の女優、流行《はや》りともいえるいい女に、末國がまったく関心もなさそうなのが不思議らしい。

「うーん、あんまりツボじゃないかなぁ」

「すっごくスタイルいいですよ」

「うん、スタイルはいいよね」

正直、あのいかにも捕食系の狡猾《こうかつ》そうな女ぶりに引く。

スタイルも、出っ張っていようが、引っこんでいようが本当にどうでもいい。

「一度ぐらい食事に行ってみてもいいんじゃないですか？」

「一度でも行って写真なんか撮られたら、記者が押し寄せてきてえらいことになるよ」

「ああ、それは確かに仕事になりませんよね」

本音はそこではないが、仕事を優先したいと匂《にお》わせると高岸は納得したようだ。

「末國先生って、どんなタイプがツボなんです？」

「俺ぇ？　優等生なのに気が強い子かなぁ」

「へぇ、意外。委員長タイプですか？」

「あー、ちょっと違う。いわゆる眼鏡っ子の委員長とかいうのとは違って…」

本気でわかっていないらしき相手に、末國は失笑する。

この鈍さが愛《いと》おしくもあるのだが…。

「性格的にそこまで目立たないんだけど、真面目で一生懸命で、スレてないとよけいにいいね」

「意外に、いそうでいないタイプですね」

へぇ…、と感心した様子を見せる高岸の頰を、君だよ、君とちょいとつついてやりたくなる。

「うん、で、好かれてることにちょっと気がつかないような抜けてるところがあると、なおいいかな」

「それって…、かなりニッチじゃないです？」

面白いぐらいのニブチンは、髪を流しながら首をひねった。

「先生、先に行くよ」

声をかけて湯船に向かうと、ほどなく身体を洗い終えた高岸が入ってくる。

意外にもぴったりとすぐそばに寄られ、何事かと末國は濡《ぬ》れ髪をすべてかき上げた高岸の優等生的に整った顔を見た。

「何？」

「今日の反省会をしようかと思って」

「…反省会？」

「そうです。何事もインプットのあとには、アウトプットが大事でしょう。アウトプットのあとには、さらにインプット。ゴルフコースも誰かがコース設計をしている以上、ある一定の法則があると思うんですよね」

「…ああ」

また小理屈をこね出して…、と末國は生返事を洩《も》らす。

浴槽ですぐ横へとやってきたかと思えば、これだ。

「高岸先生、本当は文系の振りした理系じゃないの？」

「僕の場合は文系も理系も似たような成績だったので、むしろ文系か理系かってカテゴライズされることのほうが不思議です」

「嫌味だよ、嫌味。メンタル面が理系だねって、褒め言葉じゃないから」

「それは理系に失礼でしょう」

「理系でもロマンを解する人はいっぱいいるよ。それに理系の方が環境的に現実の女性が少ない分、夢見がちだよ」

高岸はむっと眉を寄せた。

「それじゃ、まるで僕がロマンを理解できないみたいじゃないですか」

「だから、そう嫌味を言ってるんだって」

何を言ってるんだと末國が呆れ顔となると、高岸は溜息をついた。

「僕、そんなに鈍いですかね？」

妙にしおらしい様子に、少し口が過ぎただろうかと末國はフォローを入れる。

「いや…、年頃の男ってたいていそんなものじゃない？」

「そうですかねぇ。三和先生にも、もうちょっと高岸先生は女性心理に通じた方がいいよ。今のままじゃ、いいように騙《だま》されるからねって言われて」

「ああ、それは確かにね」

高岸が一番最初に手がけた離婚訴訟では、夫の浮気や金遣いの荒さが原因で別れたいという女性の言い分を、生真面目さゆえに丸呑《の》みしてしまったらしい。

実のところは浮気したのも金遣いが荒かったのも、すべては妻の側だったことがわかって、夫側の弁護士から同情されるほどに赤っ恥をかいたと数ヶ月前にずいぶん凹んでいた。

末國は今も浮かぬ顔となっている高岸の肩を、軽くポンと叩いてやさしい声を出す。

「案外、運命の人はそばにいるかもしれないだろ？」

高岸は不安そうに末國へと顔を振り向けた。

「…え、大橋さんですか？」

素っ惚《とぼ》けすぎてて、なんと言っていいのかコメントに困る。

「…君、熟女好みか？　それにしても濃いな」

「いや、熟女にしても、もう少し女性に近い形の生き物がいいです」

「だろうな。奥が深すぎて理解できない」

あれは性別を超越しているなどと、二人は大橋の耳に入れば張り飛ばされそうな好き勝手を言う。

「じゃあ、そろそろ上がるよ」

「あ、ちょっと末國先生がよけいなことばっかり言うから、まったくコースについての反省も何も出来なかったじゃないですか」

悔しがる高岸に、末國は言い捨てる。

「帰りの車の中でやればいいだろ」

「ちゃんとつきあってくださいよ」

「はいはい」

適当な返事を返すと、ちょっと吊《つ》り上がった目が睨んでくるのがまたいい。これだから高岸をつつきまわすのをやめられない。

末國が上機嫌で脱衣所に戻ると、先に出ていた岩瀬がすれ違い様に声をかけてくる。

「末國先生、高岸先生を家まで送ってくれるよね？」

「ええ、もちろん」

「じゃあ、頼んだよ。僕はこれで失礼するけど、高岸先生にもよろしく言っといて。また、来月も誘うからねって」

「了解です、お疲れ様でした」

「はい、お疲れ様でしたー」

このあと、別口で飲み会なのだと、世話好きで賑やかなことの好きな岩瀬はいそいそと出てゆく。

精算をすませ、駐車場からエントランス前へと車をまわした末國は、腕を伸ばして後部座席の紙袋を取る。

「高岸先生、これ」

「何ですか？」

手渡した紙袋を、助手席に乗り込んだ高岸は不思議そうに覗《のぞ》く。

「名古屋出張のお土産ね」

「あ、中津川の栗《くり》きんとん。僕、すごい好きですよ」

「だろ？　あと、坂角《ばんかく》のゆかり」

「それも好き、好き。全部、僕の好物ばっかりじゃないですか」

「あとでお茶と一緒に出してよ」

「いいですよ。渋いお茶とかにあいますよね。ありがとうございます」

暗に部屋に上げろといっているのだが、下心に気づかない高岸は簡単に承諾する。

まぁ、部屋に上がれたところで何かをしでかすわけにもいかないので、単に末國の独占欲が満たされるだけの話だが…。

車を発進させると、助手席で高岸が疲れたような様子でくったりと頭をヘッドレストに預ける。

「ちょっと疲れた？」

「四時起きはさすがに…」

「寝ててもいいよ」

「それは悪いですよ」

「いいって、ほら」

手を伸ばし、後部座席に置いてあるクッションを膝《ひざ》に投げてやると、おとなしく抱えている。

「ついたら起こすよ」

そう言うと、すみません…と呟き、高岸はおとなしく目を閉じた。

末國が普通の同性以上に過剰にサービスするにもかかわらず、まったく下心を疑う様子もない。

そろそろ少しぐらいは気づいてくれてもよさそうなものだがと、たまには思わないでもない。

だが、今はこうして色々甘やかすのも楽しいかなと、末國はひとりで悦に入った。

III

水曜の夜、イタリアンの店で高岸は斜め前の席に座る末國をちらりと見やった。

ちょっとしゃれた感じのレストランで始まった忘年会は、何かと話し好きで派手な岩瀬法律事務所の弁護士が集まっているせいか、店内のBGMも聞こえないほどに話が盛り上がっている。

女性も喋るが、それ以上にバイタリティーに溢《あふ》れた人間が多いのか、岩瀬法律事務所の若手弁護士は皆、一瞬たりとも黙っているということがない。

谷崎や三和が、普段はあまり無駄口を叩かず、物静かな印象があるのとはとにかく対照的だ。

事務の女性八人に加えて、末國を含めた事務所の四十半ばまでの弁護士四名、そして高岸とが半個室に案内されていた。

部屋に入った時、高岸の隣には末國が約束通りに鹿島を並べてくれたが、その横には新しく入ったいそ弁の松嶋《まつしま》が同じように並んだ。

もしかして松嶋にも何か頼まれたのかもしれないが、微妙に嫌がらせのような配慮だ。

しかも、高岸の前に座った大磯《おおいそ》という独身の事務の女の子が、妙に高岸に対してアピールモードで、鹿島との会話に割り入ってくる。

時々末國に助けを求めてちらちらと視線を送ってみるが、普段はそう鈍い質《たち》でもないくせに、今日は妙に知らん顔を決め込まれている。

それどころか、時折大磯を焚《た》きつけるようなことまで言うので、やりにくい。

鹿島は予想通り頭のいい女性で、節度を持った受け答えに終始している。

肌がきれいで、フェミニンなデザインの赤いフレームの眼鏡がよく似合っていいな、と高岸は上品な笑顔を見せる鹿島を横目に見た。声があまり高すぎないのも、好感度が高い。

ただ、話を振ると明るく受け答えはしてくれるが、肝心なところでガードが固い。

多分、男に誘われること、探りを入れられることに慣れているのだろう。隙《すき》がない。

大磯が盛んに高岸にアピールしてくる分、同僚とのトラブルを避けるためにやや引き気味なのかもしれない。

何分、あまり積極的に女性を口説いたことも誘ったこともない高岸は、必要以上に強引に声をかけることも出来ない。

やむをえず、コースがひと通り終わったあとにトイレに立った。

トイレを出ると、ちょうどまとめて会計をすませてくれたのか、店員とカードのやりとりをしていた末國がニッと笑ってみせる。

高岸はむぅ、と眉を寄せた。

「先生、あの配置はないんじゃないですか？」

店の通路で壁際に身を寄せ、高岸は小声で末國をなじる。

「見てたけどさ、ちょっと先生、要領悪いよね。大磯さんあしらうにしてもさぁ、もう少しさらりとかわせばいいのに」

あれだけ横から大磯を煽《あお》っておいて、末國はぬけぬけと言ってのける。

「あいにく、先生のように百戦錬磨というわけにはいかないい未熟者なので」

「俺なんか清廉潔白な奥手だからさ、気になる相手と口をきくだけでドキドキするよ」

「よくもまぁ、臆面もなくそんな嘘八百が言えますね」

なじってやると、末國はちょっと考えるような様子を見せる。

「確かにそれは言い過ぎかな。でも俺、そんなに軽々しく誰かとデートに出かけたりしないよ。先生、俺とよく一緒にいるから知ってるだろ？」

「…それはまぁ」

確かに毎日のように末國と顔を合わせていても、女性からメールや電話が入るのは、事務所の女の子か依頼先だ。それは横にいても、受け答えでわかる。

それに誰か特定の相手がいれば、もう少しプライベートに時間を割きそうなものだ。

あれほど始終、高岸と飯だ、酒だと出かけたりしないだろうし、高岸の部屋に遊びに来たりもしないだろう。

「俺が設けてあげた貴重な時間なんだから、もうちょっと有意義に使って欲しかったな」

高岸は末國を睨む。

「あのものすごく絶妙な配置でですか？」

応援されているようで、バランスよく敵も配置されているような気がしてならない。

どっちつかずで煽るだけの末國は、実のところ一番質の悪い存在だった。

「高岸先生が手こずってるみたいだから、応援してたんだけど」

「むしろ、ものすごく邪魔でした」

あんたはいったい誰の味方なんだと小声で言い争っていると、松嶋がひょいと個室の入り口から顔を覗かせる。

「末國先生、お会計すみました？」

「すんだよ」

末國は愛想よく手を上げる。

「じゃあ、ここ、お開きにして二次会行こうか」

「江上《えがみ》先生が野郎はカラオケ行こうって言ってますよ。今から歌って、踊るぞって」

「江上先生も、好きだよねぇ」

「女性陣は、家があるんで帰るってことなんですけど」

高岸への牽制《けんせい》なのか、単に何も考えていないのか、松嶋がのほほんと言う。

「え？」

予想外の展開に高岸は目を見開くが、いいよと末國はあっさり頷《うなず》いてしまう。

「え、ちょっと聞いてませんけど」

高岸は末國のスーツの袖《そで》をとっさにつかんだ。

「多分、このあと、お茶して帰るんだよ。女は女同士の話があるし、そういうのを邪魔するのは野暮だよ」

「え、でも…」

それではあえてここに来た意味もなく、まさに単なる忘年会に参加しただけになってしまうじゃないかと高岸は焦る。

ただ、野暮だと言われてまで、女性同士のお茶に割り込むような面の皮の厚さは持ち合わせていない。

「高岸先生ももちろん行くだろ、カラオケ。男のつきあいはおろそかにしないほうがいいよ。ここは歳上の先生の顔を立ててね」

はいはい、と末國は高岸の腰のあたりを押してくる。

「いや、僕、歌下手でっ」

「知ってるよ、素で歌ってるのにギャグみたいだよね。それもまた一芸だから」

末國はからからと笑う。

「ちょっと先生、人の恋路を邪魔する奴《やつ》はっ」

「馬に蹴《け》られて死ぬがいいって？　俺が死んだら、先生も寂しくって死んじゃうくせに。本当にもう、ツンデレさんなんだから」

「はい？　寂しくって死ぬって、ウサギじゃないですから。第一、なんで俺が先生のために死ななきゃならないんです？　意味がわかりません」

本当にこの男はわけがわからんわと、末國に腕を引きつかまれてグイグイと店の外へと連れ出されながら、高岸は虚《むな》しい抵抗を見せた。

二章

I

その日、高岸は親しかった司法修習時代の同期に声をかけられ、飲みに出ていた。親しくしていたメンツよりもさらに広く声をかけたらしく、あまり話したことのない人間も交じっている。かなり大所帯な飲み会だった。

そのうち隣の席に来て、久しぶりと声をかけてくる相手がいた。

前に一度、飲み会で話したことがある横川《よこかわ》という男で、横浜の法律事務所でいそ弁をしていると名刺をくれたと思う。

横川はすでに少し酒がまわっているようで、顔が赤い。

たわいない世間話をした後、横川は高岸のグラスにビールを注ぎながら尋ねてきた。

「そういえば高岸先生、弁護士の末國有智知ってるって言ってたっけ？」

「ああ、末國先生。知ってるも何も、隣のビルの事務所。うちよりずっときれいな建物だけど」

「そりゃ、テレビ出てりゃ儲《もう》かるからね。あんな商売してたら、真面目に仕事やるのも馬鹿らしくなるよなぁ」

確かにそれなりの額はもらっているだろうが…、と高岸は思った。

もう少し、言いようというのがあるだろうと、若干ムッとする。

「どうだろ？　ああ見えて仕事はきっちりしてるように思うけど。テレビのコメントも、かなり常識的だろ？」

「まぁ、答えはわりにまっとうかな」

まっとうな上、法律についてまったくの素人にもわかりやすいよう、噛み砕いて説明する。難解な法律用語を並べて相手を煙《けむ》に巻いた挙げ句、お近くの専門家に相談することを勧めますなどと最後には突きはなすような不親切な法律相談とは違う。

むろん、番組内での持ち時間にも制限があるし、最終的には個々の相談内容にあわせて専門家が対処しなければならないのは確かだ。

だがテレビ番組での法律相談には、まずは普段、法律問題、訴訟沙汰などとは縁遠い視聴者に対して、法律相談そのものの敷居を下げるという目的がある。

弁護士に相談しなければならないにせよ、まずは相談してみたいと思わせること、相談すればうまくアドバイスが得られるのだという啓蒙を兼ねている。

末國は番組内であっても、場合によっては弁護士ではなく、警察や市役所の窓口への相談を勧めることもあった。

お年寄りや女性だけの世帯の場合、何か詐欺や暴力などの被害があった際に、誰に相談していいかもわからずにおろおろしているうち、抜き差しならない状態に追い込まれることがある。

そんな場合にはわざわざ弁護士に依頼せずとも、警察や市役所が対応してくれる問題なのだと相談窓口を教える。

普段の態度はさておき、そういう末國の人間として真摯《しんし》な姿勢は嫌いではない。

「で、末國先生に何か用？」

「何かっていうより、ちょっと噂《うわさ》を小耳に挟んだからさ」

「どんな噂？」

この切り出し方はあまりいい話ではないのだろうかと思いながら、高岸は尋ねた。

「んー、最近、俺が仲よくしてもらってる弁護士さんがヤメ検でさ、その末國先生と同期だったらしいんだけど」

「同期？」

ヤメ検といえば、検事をやめて弁護士になった人間をいう。

へぇ…、と意外に末國と近い相手からの話に、聞き流しかけていた高岸はさっきよりも話に身を入れる。

「ああ。その人が、末國先生ってゲイじゃないかなって」

「ゲイ？　なんで？」

「いや、昔は本人が軽いノリで言ってたことがあったらしいよ。もちろんテレビ出る前だし、修習で飲みに行った時にふざけてって話だけど」

「ああ、ふざけてなら言いそう。あの人、そういうところ調子いいから」

末國のどこまでも軽いノリを思い、高岸は頷く。

仲はいいけれども、実のところはよくわからない相手でもある。

多分、末國は高岸の性格を十分把握しているのだろうが、末國自身はそうやすやすと腹の内を晒してみせる人間でもない。

つきあいは一年弱ほどになるが、今ひとつ、つかみ所がなかった。

それは六歳分の歳の差なのかなと寂しく思う一方で、ある意味、どこかで甘やかされているようにも思う。

「いや、なんかその時、末國先生と同じ修習仲間で仲がいい人がいて、多分、末國先生はその人のこと好きだったんじゃないかって」

「それが男って？」

話の流れで、それが女性でなかったということはわかる。

「じゃないかって話で、まぁ、確証あるわけじゃないけど」

「ないんだ？」

相手は肩をすくめる。

高岸は何となく、義侠心と好奇心が入り混じった微妙な思いで重ねて尋ねてしまう。

「その相手は？　その人もゲイだったわけ？」

「いや、どうだろう？　検察官になったって聞いたけど」

「何だ、オチも根拠もない話？」

高岸は落胆とも安堵《あんど》ともわからない息をついた。

「いや、俺も聞いた話だから」

今になって逃げを打つ相手に、高岸は半ば呆れ混じりに尋ねた。

「あの人、前にプロポーズして断られた相手いるってよ。だったら、ゲイじゃなくてバイじゃないのか？」

「…そうかも。むしろ、何人も女こましてそうだよなぁ」

なんだ、結局、この男は末國にあまりいい印象を持っていないのかと、高岸は納得した。若手弁護士代表などと言われてテレビにも出て成功している分、同業としては面白くないのかもしれない。

見てくれなどは同性に妬《ねた》んでくれといわんばかりだ。

これでネクタイの趣味が悪いなどといったわかりやすい隙でもあれば、そこを突くことも出来るが、ああ見えて末國は文句のつけようがない。

忌々しく思う相手にとっては、それこそあいつは男が好きらしいぞなどと言わなければ、けなしようがないのだろう。

それも器の小さな話だなと高岸は相手との話に興味を失い、適当にお茶を濁して席を移った。

飲み会がお開きになったあと、二次会に移るというメンバーらと別れ、酔い覚ましがてら、ひと駅向こうの地下鉄の駅までふらっと歩きながら帰る。

酔いで火照った顔に師走の夜風が沁みるようで、高岸は思わず首をすくめて襟許《えりもと》のマフラーをかき寄せた。

酔い覚ましも何も、ビル風の冷たさにあっという間に酔いも醒《さ》めてくる。思わぬ寒さに、高岸は缶コーヒーでも買おうかと硬貨を取り出した。

目についた自販機にいつも末國が選ぶ銘柄があるのを見て、高岸はさっき聞いた末國の噂を思い返してみる。

メディアでの露出が増えれば、一方的に反感を覚える相手もいるだろう。

末國は何かと派手な肩書きを持っているが、そばにいればけして嫌な人間ではないのに…。

むしろ多少の年齢差を気にせず、フランクにつきあってくれる懐の深さと、折々に覗くちょっとしたブラックさは好きだ。

モテないわけはないだろうにそんなに前の相手が尾を引いているのかな…と考えかけて、さっきの同期の検事の話を思い出す。

同性同士であっても、末國なら巧みに口説いてつきあえそうな気もするが、うまくいかなかったのなら相手に気がなかったのか。

これまでは末國に話を多少向けたところで、勘弁しろよ、さすがに俺だって振られた相手の話なんかしたくないよ、などとうまくはぐらかされてきたが、もしかしてあれはその検事になったという男のことだったのだろうか。

あまり想像もつかないが、線の細いタイプなのだろうか。自分の知る限り、検事になった人間でそんなに線の細いタイプは見たことがないなと、高岸はぼんやり考える。

海外に多いリアルゲイのような世界だと思うばかりで、ほとんど知識もないために想像もつかなかった。

そんなことばかり考えてしまうのは、高岸自身、半ば中傷めいた末國のゲイ疑惑を肯定するようなものだが、それではうかうかと横川の思惑に乗せられたようで面白くない。

どんな性的嗜好を持っていたとしても、末國には胸を張っていて欲しいが…と考えかけて、高岸はコートのポケットから携帯を取り出す。

『はい、末國だけど』

さほど時間をおかず、いつものようにぞんざいに末國が電話に出る。高岸とわかってのこの対応らしい。

「こんばんは、先生。元気です？」

『何？　酔ってんの？』

やや呆れたような声が軽い笑いと共に返る。

「ちょっとだけね」

酔いというよりも、もっと感覚的に電話をかけた高岸は、適当に答えて腕の時計に目を落とした。

「あー、先生、もう家ですよね。すみません」

『何言ってんだよ、事務所でひとりで仕事してるよ、仕事』

「まだやってるんですか？」

十時近い時間に事務所にいるという男に、高岸は驚いた。

持ち帰りも可能な仕事なので、基本的にはあまり遅くまで事務所に残る弁護士はいない。

ただ、資料などの関係でどうしても事務所でしかできない仕事もある。末國が残って片付けているのは、そういう案件だろう。

『今日の収録が必要以上に押したからさ。高岸先生は同期と飲み会だろ？　いいね』

楽しんできてよという男に、高岸は笑う。

「飲み会終わったから行きますよ」

『今から？　何を好きこのんで』

末國は呆れ声を出すのに、高岸は憎まれ口を返す。

「寂しいかと思って陣中見舞ですよ。こんな時間にひとり寂しく仕事してる先生のために」

『じゃあ、コーヒー淹れてよ。女の子、皆帰っちゃってさぁ』

「コーヒーぐらい自分で淹れてくださいよ、何言ってるんですか。十分ちょっとで行きますから、帰らないでくださいよ」

言い捨てると、高岸はタクシーを拾って事務所へと向かった。

タクシーを降りてコンビニに寄ったあと、ロビーの明かりがかなり絞られた末國の事務所のビルへと入る。

高岸の事務所のある年季の入ったビルとは異なり、まだ新しく見た目も高級感がある。

この界隈《かいわい》では規模も大きい。入っているのはほとんどが大手法律事務所だった。

末國のいるフロアまでエレベーターで上がり、扉の前で電話を鳴らすと、内側から末國が鍵《かぎ》を開けてくれた。

所内の人数が減ると内鍵をかけてしまうのは、以前、他階の弁護士事務所に、夜、訴訟相手の暴力団が押し入ってきて傷害事件を起こしたせいだと聞いた。

そうでなくとも最近は物騒なので、高岸の事務所も定刻を過ぎて予定客がなければ鍵を閉めてしまう。

「本当に来るとは、物好きな」

末國は半ばは呆れ、半ばはまんざらでもないような顔を見せる。

そんな素直でない表情に、高岸も笑う。

「コーヒーいるんでしょ、コーヒー」

はい、と高岸はコンビニのカウンターで淹れてもらったばかりの二人分のコーヒーを差し出す。

「お、気が利くじゃない。それとも何か下心でもあるわけ？」

「先生じゃあるまいし、下心なんかで来たりしませんよ」

「へぇ、言うねえ」

末國はふふっと楽しそうに笑った。

「仕方ないなぁ、俺の秘蔵のクッキーとチョコレート出したげようか？」

「秘蔵ってなんです？」

「この間、お客さんにもらったんだよね。たいていのものは女の子に渡してわけてもらうんだけど、美味《うま》そうだったから夜食用に取っておこうかなと思って」

言いながら、再度内鍵を閉めた末國は、自分の部屋に高岸を案内する。

書類の受け渡しや連絡などで何度か事務所の入り口まで来たことはあるが、実際に末國の働いている部屋に入るのは初めてだった。

「うわぁ、スペース広いですね。重厚感があってかっこいい」

へぇ…、と高岸は室内を見まわす。

岩瀬総合法律事務所の受付自体、ヨーロッパ風のマホガニー家具でまとめてある。

常々落ち着いた雰囲気でいいなと思っていたが、個人のスペースもやはりどっしりしたアンティーク調のデスクに応接セット、書架などで統一してあった。壁にはヨーロッパのものらしき、街の風景画がかかっている。

高岸の事務所とは違って天井が少し高い分、そういう家具や絵も違和感なく似合う。

また、当の末國自身がこんなスペースで働いていても浮かないのもすごい。

確かにこんな事務所が似合うほどのルックスなら、同じ男としてやっかみも多いんだろうなと、高岸はさっきの同期の顔を思い出した。

「ほら、うちは岩瀬先生が何かと派手好みだからさ、この手のいかにも高級そうなテイストが好きなんだよね」

「ああ、岩瀬先生」

何をやるにしても派手で高級志向の男を思い、高岸は頷く。

確かにこういう高級路線を貫こうと思えば、常に大きな事件を扱い、複数の弁護士を抱えていかないと採算が合わないだろう。

末國は自分のメディア露出を、チョウチンアンコウのひらひらの疑似餌《ぎじえ》みたいなもんだね、などと笑う。

やはりテレビなどに出ると、とにかくあの番組で活躍している末國先生に仕事を任せたいという人間が殺到するらしく、それを適当にふるいにかけて所内の弁護士に割り振るらしい。

むろん、相応の財力のある相手に限る。

また、ひとりでも名前の知られた弁護士がいると、対外的にも大きな事務所、実力のある事務所だと思われやすい。

派手な広告塔のような存在だろうか。

地味であっても堅実に依頼者のために働きたいという谷崎のやり方とは、根本的に相容《あいい》れないだろうなと思う。

「あの人、愛人まで派手だからさ」

「愛人?」

へっ、と高岸は奇妙な声を出して末國を振り返る。

「あれ? この間、うちのビルの前で先生が真っ赤なボルボに乗り込むの一緒に見てたろ?」

「ああ、見ました。奥さんがすごく綺麗《きれい》な人で…」

綺麗というか、カラーリングした巻き髪が肩にかかった女優のような華やかな美人で、目が合うとにこやかに会釈された。

大ぶりなパールのイヤリングが似合っていて、なるほど岩瀬が好きなのはこういうゴージャスな美人タイプか、わかりやすいなと思ったものだ。

「違う、あれが愛人」

「あの人がっ?」

「あ、てっきり知ってるかと思ってた。岩瀬先生の奥さんは、もっとキツい感じのマダームだよ。すごくおっかないらしくて、先生、頭上がんないんだよ。俺だって、あんなのが家で待ってると思うと、家に帰りたくなくなるね」

「…知らなかった」

「何だ、知らなかったの?」

へぇ…、と末國は部屋の隅のワードローブ型のロッカーから菓子箱を取り出しながら、応接セットへと高岸を促す。

「ええ…、愛人? あんなに堂々と車なんか乗り込んでいいもんなんですか? 興信所で調査されたら、一発でバレちゃいますよ」

「思うにさ、岩瀬先生、M気質なんじゃない？」

猫脚の長椅子《いす》に腰かけてコーヒーに口をつけた末國は、首をひねる。

「M気質…」

サディズムにもマゾヒズムにも理解のない高岸には、何ともコメントしがたい。

「もういっそ、奥さんにバレて血の雨が降るまで吊《つる》し上げられたいとか？　あと、あの人基本的に、美人を連れて歩いて見せびらかしたいタイプだろ」

「じゃあ、もともとそういう女性と結婚すればいいだけだと思うんですけど」

「先生の奥さんさ、もともと岩瀬先生がいそ弁として働いてた時の先生の娘さんなんだって。今、最高裁の判事やってる先生」

「大御所っぽいですね」

いかにも縁談を持ち込まれて断れなさそうな相手先だと、高岸は末國が並べてくれたクッキーに手をつける。

「バレたら、すっごく奥さんにふんだくられると思うんだけどねぇ。Mだよな」

「そういう問題じゃないと思いますけど」

コーヒーにミルクを入れながら、高岸は呆れた。

「…で？　こんな夜遅くに俺に会いに来てくれたのは、どういう理由？」

高岸の好きなビターチョコレートを箱で差し出してくれながら、末國は微笑《ほほえ》む。

「うん、励ましに」

「励まし？」

途端に末國は胡乱《うろん》なものを見るような目つきとなった。

確かにワイドショーではとぼけたことを言っていても、弁護士としての能力は第一線でバリバリ働いている末國の方が駆け出しの高岸などよりはるかに上なことは確かだ。

そこまであからさまに不思議そうな顔をしなくてもいいとは思うが…。

「いや、まぁ、陣中見舞っていうのは本当。ちゃんとコーヒー持ってきて上げたでしょ？」

「そりゃ、先生は俺の将来的なパートナーになるわけだから、それぐらいやってくれてもいいと思うけど」

「パートナー…、なんか微妙な言いまわしですね」

常々、将来、一緒に事務所を開こうと口説かれている高岸は、あえて口を尖《とが》らせる。

「引く手数多《あまた》のこの俺が、わざわざ一緒に事務所やろうっていってるのに、そこは諸手《もろて》を挙げて喜ぶべきところだろ？」

「ああ、僕、喜ばなきゃいけないんですか？」

えー…、と高岸はチョコレートを頬張りながら、あえて顔をしかめてみせる。

「あ、美味しいや」

「だろう？　こんな高級チョコレートを惜しみなく振る舞っちゃう俺に感謝してよ」

「自分の懐痛んでないくせに」

「懐痛んでなくても、贈与された以上は俺の物」

「先生、案外小さいところありますね」

末國は高岸の口許を指さす。

「それ、一個四百円越えのチョコレートね」

「え？　僕の持ってきたコーヒーより高い？」

何だ、このデフレ時代にその高尚なチョコレート様は、と高岸は口許を押さえる。下手なショートケーキよりも高い。

「ほら、やっぱり俺の方が器大きいじゃないか」

「そういうところが小さいっていうんですよ」

高岸の言葉に、末國は嫌味に長い脚を組みながらフン、と鼻を鳴らす。

「まぁ、いいや。同期会、楽しかった？」

「あー…、まぁまぁです。皆、色々あるなって」

微妙な高岸の答えをどう思ったのか、末國は少し真面目な顔になったあと、笑った。

「何？　面白くないことでもあった？」

「面白くないっていうか…、横浜の法律事務所に勤める同期が、先輩弁護士が末國先生と同期だって言ってて…」

言っていいものか、悪いものかと迷いながらも、末國の肩を持ちたいような気分になって高岸は切り出す。

「俺と同期？　横浜ね」

へぇ…、と心当たりがあるのかないのか、末國はどちらとも取りようのない顔を見せる。

こういうところが喰わせものなのだと、高岸は内心思った。

「先生、修習時代に仲のいい人がいたって…、今は検事になった人で…」

「うん、いるよ。佐々木《ささき》のことかな。今は旭川地検にいるけど」

あまりに末國があっさり認めるため、たとえゲイでもバイでも、絶対に末國を守り切らねばという気負いのあった高岸は、やや拍子抜けする。

「…ああ、そうなんですか？」

「佐々木将明《まさあき》。名前も硬派だろ？　すらっとした正統派の端整な男前だよ、そう言ってなかった？」

「いや、そこまでは…」

「うん、正義感で熱い男。検事になるために生まれてきたような男だよ。話してて気持ちいい」

珍しく末國にしてはすがすがしいほどの笑みを見せられ、高岸は微妙な感覚を覚える。

そんな風に無防備にその人を褒めるから、あいつはゲイだなどとやっかみ混じりに言いふらされるのではないかと、モヤモヤした気分になる。

「初めて聞きました、その佐々木検事の話」

「そう？　今度上京してきたら、会わせようか？　北海道は半端なく寒くてかなわないとかぼやいてたもんな。今頃は慣れないのに、せっせと雪かきしてるんじゃない？　時々抜けてるから、転んでなきゃいいけどな」

末國は柔らかく目を細めた。

それがいつもの揶揄《やゆ》ばかりからではないようで、何となく面白くない。

「で？　佐々木がどうかした？」

「…いや、先生がその…、佐々木さんを好きだったんじゃないかって…」

憤慨しながらここへやってきた自分も、つまらない真似をしているような気持ちになってきて、高岸の語尾が小さくなる。

「ああ、嫌いじゃないよ。むしろ、好きだね」

「いや、そういう意味じゃなくって」

「じゃあ、何？」

末國は何もかもわかっているような悪戯《いたずら》っぽい顔を見せ、紙コップを揺らす。

「………男が好きなんじゃないかって」

他に言いようはないものかと考えてみたが、婉曲《えんきょく》な言いまわしがすぐには思い浮かばず、高岸は口の中でボソボソと呟き、そんな気の利かない自分に首をすくめる。

「男が好きねぇ…、そういうこと言い出しそうな奴、確かに横浜にひとりいるわ。ヤメ検じゃない？」

「ああ、ヤメ検だって言ってました」

ふうん、と末國は肩をすくめる。

こうした反応を見せる時は本気で高岸をはぐらかしにかかるので、何を聞いても本当のことなど言わない。

それとも、その佐々木という仲のいい検事にならそれなりに腹を割って話すこともあるのだろうかと思うと、面白くない。

「そいつ、佐々木とも仲良かった分、あんまり俺のこと、好きじゃないんだろ」

「…そうなんですか？」

何だ、ひとりを間に挟んで、子供みたいな縄張り争いをしているだけなのかと、高岸は釈然としないままに目を伏せる。

「先生、そろそろ帰ろっか？」

高岸のコップが空に近いことを確認し、末國は立ち上がる。

「あれ、先生、仕事は？」

「ん？　もう終わったよ。先生から電話かかってきた時にはほとんど終わってて、もう帰る準備しかけてたんだよね」

言いながら、末國は机の上のパソコンの電源をオフにする。

「何だ、そうだったんですか…」

自分が行くと言うから、待っててくれたのかと少し申し訳ないような気分になって、高岸は腰を上げる。

「またさぁ、これぐらいの時間に遊びにおいでよ。昼日中はあんまりよその弁護士先生を、おおっぴらに部屋に入れるわけにはいかないからさ」

末國はさっきのワードローブからコートと書類鞄《かばん》を取り出しながら、高岸を振り返る。

確かに外部の弁護士は、普通なら応接室や会議室といったところに通すのが普通なんだろうなと、高岸も思った。

末國のマンション以外のプライベート、かつ、仕事での真面目な部分をちょっと覗けたような気分だった。

仲はよくても、なかなか腹の内は見せない男なので、ちょっと嬉しい。

「じゃあ、帰ろうか」

「末國先生、ご飯は？」

「さっき、コンビニ弁当食った。味が濃くて、あんまり美味くなかったなぁ。先生、今度美味しいもの作って食べさせてよ」

「なんで僕が、先生に手料理を振る舞わなきゃなんないんです？」

「かわりに掃除機かけてあげるからさ。どうせまた、掃除サボってるんだろ？」

「掃除しなくったって、別に死にはしないですよ」

いつも末國が来た時に、もう少しうまく片付けられないのかとぼやかれる高岸は、肩を怒らせる。

「そりゃそうだけどさぁ、高岸先生、見た目はきれい好きっぽいのに掃除下手だよね」

「僕の場合は下手なだけで、しないわけじゃないんです」

答えながらも、部屋を片付けてくれるなら、料理のひとつやふたつぐらい作ってやってもいいかと、高岸は思った。

Ⅱ

「うん、悪くないね。よっぽどおかしい裁判官にあたらない限り、これで旦那《だんな》さんの言い分は通るでしょう」

金曜の六時過ぎ、打ち出した答弁書に目を通した三和は、眼鏡越しに机の前に立つ高岸を見上げてくる。

「本当ですか？」

三和に褒められ、高岸はやや浮かれた声となる。

普段は歯に衣着《きぬ》せぬ辛辣な意見を率直に述べてくる三和は、裁判用の書類ひとつとっても厳しくチェックを入れてくる。

もっともちゃんと時間を割いてチェックを入れてくれるだけ、高岸にとっては非常にありがたい存在だった。

それだけ真面目に書類に目を通してくれている証《あかし》でもあるからだ。

「うん、まぁ、今回、旦那さんはもともと無茶《むちゃ》は言ってないからねぇ。和解蹴ったのは、奥さんの方だし。条件悪くないと思ったけど…」

言いかけた三和は、にやりとした笑みを見せる。

「高岸君は、離婚訴訟の場合には旦那さん側についた方が、実力が出せていいねぇ」

もっともな点を真っ向から指摘され、高岸は申し訳ありませんと小さく頭を下げる。

「いけないよ、前みたいに女性の言い分、鵜呑《うの》みにしちゃ」

齢《よわい》四十四歳にて、すでに海千山千の雰囲気を漂わせた遣《や》り手の弁護士は、眼鏡の奥の目を意地悪く細めてみせる。

谷崎が手間がかかる上に、あまりお金にもならない人道的な事件を引き受けるため、その分、三和が仕事の選り好みをせずに事務所の運転資金を容赦なくかき集める。

事務所で扱う基本は民事事件だが、顧問先の仕事の他にも、完全に刑事事件となる国選弁護士の仕事から、弁護士会の紹介である私選弁護士の仕事まで、高岸が来るまでは三和が一手に引き受けてきたのだから、実年齢以上の迫力と実力とを備えていた。

谷崎のように弱者のために骨身を削って働く弁護士は、世の中に必要とされるべき貴重な存在だが、同時にこの事務所にとっては、谷崎を金銭面でサポートする三和の存在は欠くべからざるものだ。

「はぁ…、すみません」

以前の離婚訴訟を思い出し、高岸は頭を下げる。

「依頼人は、まず自分に都合のいいように話をするって思わなきゃ。まあ、あの女性の場合は極端だったけど」

「…はい」

「これは訴訟だけに限った話じゃないよ。何かひとつの出来事があったら、その出来事は見る者の立場によっていくらでも色が変わる。僕たちの仕事は依頼人の利益を守るのが務めだけど、依頼人の言い分がおかしいと感じたら、ある程度はたしなめて落し所を探らないと。それも弁護士の仕事のひとつです」

普段は容赦のないもの言いをする三和に、こういう風に含めるように言われると、なるほどと思わされる。

「はい、あれはいい勉強になりました」

「まぁ、これはまったく問題ないでしょう。むしろ、簡潔でわかりやすいし、裁判官の心証も悪くないと思う。週明けに発送しておいて。今日はもう、上がっていいよ」

「そういえば、三和先生。今日の谷崎先生の事件…」

三和から書類を受け取りながら、高岸は尋ねる。

谷崎が担当した八年にも及ぶ医療訴訟が、今日の四時半に判決を言い渡される予定だった。

病院側がミスを全面否定し、遺族と真っ向から争う姿勢を見せた訴訟だ。

証拠隠しのためにカルテなどが破棄、改竄《かいざん》され、関係者には口止めされるという、非常に悪質な事件だったが、昨今、医療訴訟が多いせいかニュースにもならなかった。

高岸も三和もさっきまで外出しており、すでに大橋は帰ってしまっている。当の谷崎はまだ帰ってきていないので、ずっと気にかかっていた。

「うん、あれね」

三和は珍しくにこやかに笑った。

「無事、勝ったよ。病院のミスと悪質な隠蔽《いんぺい》工作が認められて、お嬢さんの損害賠償金として七千万が認められた。ご遺族もよくがんばられたと思うよ」

「そうですか、よかった」

高岸も短く息をつき、笑顔となる。

むろん、高岸が入所する前からの事件だが、賠償額よりも娘の事故死を隠蔽しようとする病院の責任を明らかにして欲しいという遺族の悲願というのは、訪れる遺族の表情や話、書類上のやりとりなどを見ても痛いほどにわかった。

長い間、そんな遺族に寄り添い、時には励まして訴訟に臨んだ谷崎の姿勢は、高岸にとっても尊敬すべきものだった。

「あとね、ついでじゃないけど、来年から少しだけ高岸先生のお給料上がるからね。まぁ、ほんの少しだから、あまり期待されすぎると困るけど。谷崎先生が高岸先生もよくがんばってくれてるから、ぜひにってね」

「本当ですか？」

一瞬喜んだあと、高岸は恐る恐る尋ねた。

「大橋さん、怒りませんかね？」

「そんな君、大橋さんが君のお給料を決めるわけじゃなし」

三和はいつになく朗らかに、声を上げて笑う。やはり三和にとっても、谷崎の勝訴は嬉しかったらしい。

「それに大橋さん、君には厳しいけれども、見どころがないって言ったことはひと言もないよ。あの人は、見どころのない人間は叱りもしない人だよ。ちゃんと君のためを思って、色々言ってくれてるんだから」

まぁ、厳しい人ではあるけれども…、と三和はニヤリと笑う。

「とりあえず今日は上がって。せっかくの連休だからね」

「谷崎先生にひと声おかけしたいんですけど」

せめて、おめでとうございますと声をかけたいと言うと、谷崎のよき理解者でもある三和は苦笑する。

「先生は今日はひとりで一杯やりたいんだよ。昔から、そうなんだ。今日はそのまま家に帰られるだろうから、連休明けでいい。今日は君も早く帰りなさい」

「じゃあ、お言葉に甘えて…、お先に失礼します」

高岸は軽く一礼して三和の部屋を出る。

大橋の机とはパーティションで仕切っただけの自分の机に戻ると、もう今週の仕事はすべて終わって三連休だった。

『先生、そろそろ仕事上がれますか？』

高岸はいつもよりもはるかに浮かれた気分で、末國の携帯にメールを送る。

今日は末國が事務所の取引先の銀行を通じ、絡め手で予約をもぎ取った例の隠れ家フレンチで、ディナー予約を入れていた日だった。

本当にクリスマス直前の金曜なのかと呆れたが、結局、他に予定のなかった高岸は七時からのディナーに同意していた。

『もちろん。今、事務所に戻るところ。一度、事務所で電話確認をすませて、六時半には上がれるよ』

末國からメールが返ってくるのに、高岸はいそいそと返事を打った。

『じゃあ、六時半にYAMAKIビルのロビーで待ってますね』

YAMAKIビルは、末國の事務所の入っているオフィスビルだった。

ざっと机まわりを片付けると、高岸はまだ残っている三和に挨拶をすませて事務所を出た。

隣のビルの御影石と大理石がふんだんに使われた明るく清潔なロビーには、コートを着た末國がすでに待っていた。

目が合うなり、嬉しそうににっこり笑われ、片手を上げられる。

まるでデートのような様相ではないかと思いながらも、色々あって嬉しい高岸は、末國と肩を並べた。

「お疲れ様です、さぁ、僕達の隠れ家へ行こうじゃないですか」

「…どうしたの？」

満面の笑みを浮かべる高岸に、末國は逆に怪訝《けげん》な表情となる。

「三和先生に答弁書褒められて、気分がいいんですよ。三和先生、なかなか褒めてくれませんからね。むしろ、さりげなくこれが初めてじゃないかな」

この年の瀬の押し迫った時期に、答弁書内容を褒められて嬉しいというのも微妙だが、高岸にとっては初めて一人前の弁護士として認められたようで嬉しい。

谷崎は長所を褒めて伸ばすタイプだが、にこやかながらも何かと手厳しい三和は、厳しく指摘して指導するタイプだった。

ただ、あの二人の性格的な緩急により、事務所経営もうまくいっていることは高岸もよく知っている。

「末國先生、僕、二次会分は奢りますよ」

駅に向かってぐいぐいと末國の腕を引っ張って歩きながら、高岸は言う。

「どうせなら、今から行くフレンチを奢ってくれてもいいのに」

「それはほら、個人事業主たる先生が、まだまだ未熟な弁護士見習いを激励するためにも、ご馳走《ちそう》して下さらなきゃ」

フフフフ…、と高岸は低く笑う。

「いいことがあったの、高岸先生じゃない？　何か違うよね？」

「そう、いいことがあったからこそ、末國先生と祝杯を挙げたいんですね。折しも明日から三連休。普通ならクリスマスを前にやさぐれ気分で過ごすところですが、それでもってこの浮かれ気分が四十すぎのミスターによう やく仕事を一人前と認められたせいですが！　まぁ、いいです！　今から男二人で隠れ家ディナーで、しかも一緒に行くのが末國先生ですが、それもいいでしょう！」

高岸は全開の笑顔で、末國の腕を取ったまま、地下鉄の駅の階段を降りる。

「それだけでそんなにご機嫌なわけ？」

「あと、来年からちょっぴりお給料が上がるそうです。それも嬉しいです」

「ああ、そりゃ嬉しいよね」

「それに谷崎先生の医療訴訟も勝ったらしくて！」

「へぇ、本当に」

これには末國も破顔する。

「条件的にすごく厳しいように聞いてたけど…、そうか、勝ったのか。よかった」

末國もどこか晴れがましいような顔だった。

「美味い飯をたらふく食って、今夜はガンガン飲みましょう。明日は休みですしね」

高岸はテンション高く改札を通る。

「つきあうけど、俺もガンガン飲むわけ？」

「言っときますけど、一軒目は心の広い末國先生の奢りですから、僕も大船に乗ったつもりで高いワインを遠慮なく頼めるっていうもんです」

「君ねぇ、形だけでも遠慮してみせなさいよ」

「僕と末國先生との間で、そんな遠慮なんて水くさいっていうものですよ」

そういえば、フレンチのディナーなど、初任給で親にご馳走したのが最後ではなかっただろうか。

いや、あれは里帰りした時のランチだったなと、高岸は思い直す。夕飯をご馳走したいと申し出てみたが、初任給なので無理しなくていいと両親に止められた。

大学時代につきあっていた彼女と行ったことはあるが、男同士ではそうそう行く場所でもないので、かれこれウン年ぶりぐらいだ。

末國が押さえておいてくれた店は、予約でいっぱいだという話も納得のいくほど、雰囲気のいい店だった。

隠れ家風のカウンター席と聞いて狭い店を勝手に想像していたが、カウンターテーブルは広く奥行きがあり、隣席の話も気にならない。

カウンター向こうのきびきびした厨房《ちゅうぼう》の動きも気持ちいいものだった。

「いい店ですね」

テンポのいいピアノジャズも、軽やかな雰囲気でいい。

店内が物の見事にカップルばっかりなことと、コースの値段がかなりおハイソなことを除けば、祝杯をあげるには過分なまでの店だった。

「ワイン、どれにする？　それともまず先にシャンパン？」

一応祝杯につきあってくれるつもりらしく、末國はワインリストを示しながら尋ねる。

「じゃあ、シャンパンいっちゃいましょうかね」

鴨肉《かもにく》を使ったアミューズと共に、二人してグラスを掲げた。

濃厚な鴨の味わいとシャンパンの香りが心地よくて、続く皿への期待値が高まる。

シャンパンのグラスが空いたところで、末國はワインリストをめくる。

「ワインは赤？　それとも白？」

「いや、グラスでも…」

思わず、ゲッ…、と喉奥《のど》から声が漏れ出そうな値段をチラ見した高岸は、ページをグラスの方へと戻そうとする。ハーフボトルでも、考えていた予算の倍近くのものが平然と並んでいる。

「赤と白を両方楽しみたかったら、ハーフを一本ずつっていう手もあるけど。俺はフルを二本でもいいよ」

ウワバミな男は平然と提案してくるので、高岸も腹をくくり、ひと月分の食費以上の会計となることを覚悟で、とりあえずハーフボトルを頼む。

さすがに男同士なので、全部を末國に払わせようなどとは考えていない。

「先生、大船に乗ったつもりでいいよ」

末國の悪いクセで、こういう時だけ妙に余裕を見せる。

末國の存在に気づいたらしい隣のカップルが、ちらちらと視線を送ってくる。

こんなところに男二人っきりで来ているのがばれていいのかと思ったが、末國は平然と隣の二人に会釈した。

ファンですなどと二人から声をかけられ、ありがとうございますなどと笑ってのけるあたりの図太さは純粋に感嘆に値する。

テレビで見かけただけの弁護士に、ファンがいるかどうかは置いといてだ。

末國は名刺をねだられ、事務所の名刺を手渡している。

隣にいる高岸まで、お友達ですかなどと尋ねられ、末國は高岸の肩を親しげに示す。

「僕と同業の高岸先生です。若いのに優秀な弁護士さんですよ」

まだ駆け出しだと知っているではないかと全力で突っ込みたくなったが、お名刺頂戴できますかなてしまう。

どと請われると、これが仕事の依頼につながるかもしれないと欲が出て、ついつい自分も名刺を渡し
「いいんですか、あんなこと言って？」

隣との話が終わったあと、高岸は末國のグラスに注がれるワインを見ながら低く尋ねた。

テイスティングは、こういう場に物馴れていそうな末國に頼んである。

「あんなことって？」

それなりに堂に入った態度でテイスティングを終えた末國は尋ね返してきた。

「僕のこと、若いのに優秀だなんて言ってしまって」

末國はふと顔を寄せてくると耳打ちした。

「岩瀬先生がさ、弁護士は社交術だよって」

ふわっと末國がいつもつけているトワレの、ごく淡い香りがする。

女性だったらイチコロだろうなと、高岸は横目に末國の知的に整った顔立ちを見た。

「ああ、岩瀬先生なら言いそうですね…」

報酬のほとんど見込めない依頼者のためにも全力で働く谷崎とは百八十度異なっているが、それもある種の在り方かなと思った。

司法試験だけでは計りきれない説得力やコミュニケーション力も、優秀な弁護士の能力のひとつであることは確かだ。

岩瀬の場合、社交術に加えて経営術も優秀な能力のひとつのような気がするが…。

「それにさ、高岸先生、優秀だって言われて舞い上がるような人間じゃないだろ？　優秀だって言わ

れたら、その分、期待に応えなきゃってがんばるタイプじゃない？」

それを聞いて、無性に嬉しくなる。

三和といい、末國といい、今日はなんだかちょっとは認められたようなことばかりを言われて、どうしたのかというような日だ。

「おだてたって、何も出ませんよ」

「そう？　残念」

笑う末國とグラスを合わせる。

ほどよいペースで出てくる料理もワインも美味しくて、ずいぶん楽しい。

心地よいジャズのテンポを頭の隅で意識しながら、料理の感想の合間にこの間からいくらか任された顧問先の話などを末國とする。

まだどれも中小規模の大きな問題を抱えていない堅実な企業ばかりだが、それだけに経営者がなかなか人間味があって面白い…などと話すうちに、ソムリエがかたわらへ来てにこやかにグラスにワインを注いだ。

「あー…、また注いでもらっちゃった」

末國と話しこんでいて断るタイミングを逸したのは高岸だが、あまり普段は口にしないフルボディがけっこう好みに合ったせいで、このまま飲んでしまうか、末國にヘルプを頼むか、少し迷う。

「連休なんだし、大丈夫じゃない？　明日も事務所出なきゃいけないの？」

笑いを含んだ末國の声が、軽くそそのかす。

「潰《つぶ》れたら、連れ帰ってもらえます？」

「あー、連れて帰る、連れて帰る」

はいはいという返事が、あまりに軽すぎる。

「その辺に捨てとかないでくださいよ。こんな時期に放《ほう》っておかれたら、凍死しますから」

「捨てないよ。先生、ひとりにしたら寂しくて死んじゃうし？」

「だから、死なないって。何言ってるんですか？　本当に、わけのわからないおっさんだな」

「三十四はまだおっさんじゃないって。まだまだ若い若い」

「図々《ずうずう》しい、何言ってるんだか。そろそろオヤジの自覚持った方がいいですよ」

酔いに火照りかけた頬を片手で押さえながら、高岸は生意気を言って許される心地よさと甘さの中で揺れていた。


「ちょっと高岸先生、こっちだってば」

下手なクリスマスソングを歌いながら、エレベーターを降りて反対方向へと向かう高岸の肩をつかみ、末國は自分の部屋へと向かう。

二軒目のバーで盛んに笑いをこぼす高岸がかなり酔っているなと思っていたが、ここまで完全に酔っ払っているとは思っていなかった。

タクシーで先に高岸のマンションへ送り届けようとしたが、末國の部屋に行くといって聞かなかったのは高岸だ。

潰れたら連れて帰ってくれなどと言っていたが、よもや末國の部屋に来るという意味だとは思わなかった。それとも単に、酔っ払いのワガママなのか。

「何度か来てるくせに、そんなになるまで飲むか？」

「大丈夫です、大丈夫、ちょっと間違えただけですからぁ」

玄関の鍵を開ける末國の腕にぐにゃりと絡む高岸は、呂律《ろれつ》が完全にはまわっていない。

かといって完全にぐだぐだなわけでもなく、見た目はほんのり頬や首筋が上気しているぐらいなのが、また質が悪い。

酒にあまり強くないこともあり、本人も普段は自重しているので、酔えばもっと真っ赤になって、完全に寝てしまうのかと思っていた。

これではテンション高めの絡み酒に近い。陽気な分だけ、まだ可愛いものなのか。

「先生、あんまり強くはないと思ってたけど、こういう酔い方するんだ」

「そう、こういう酔い方。知らなかった？」

廊下の明かりをつける末國の横で、高岸はふふふっと目を細めて笑う。

「普段、そういう笑い方してたら、少しは色気もあるのに。ちょっと、靴脱いで！」

そのまま上がり込もうとする高岸の脚を支え、末國は靴を抜き取る。

「色気って、大人の男の色気？」

「あー、はいはい、大人、大人」

鞄を玄関に置き、ふらりと遠慮もなくリビングへと足を踏み入れる高岸の肩からコートを脱がせ、
さらに末國はリビングの明かりをつけた。

脱がせたコート、マフラーに加え、高岸が勝手に脱いだスーツの上着も、やむなく寝室からハンガ

ーを持ってきて掛ける。

「だいたい、なーんで俺の部屋」

「こんなクリスマス前の連休にひとりで寝たら、寂しいじゃないですか。一緒に寝ましょうよ」

末國が照明をつけた寝室を勝手に覗き、高岸は振り返る。

普段、高岸が遊びに来た時には遠慮して寝室までは入らないので、多分、寝室を覗かれるのは初めてだ。

本当に酔うと予想外の動きをする。

「まったく、質わりーな」

これだからニブチンのノンケは…、と末國は口の中でブツブツ呟く。

「言っとくけどさ、今日は俺、酔わせてどうこうしようっていう魂胆があったわけじゃないからね」

グラスに氷を入れ、浄水器を通した水を汲み入れてやりながら、末國は勝手に寝室に足を踏み入れた高岸に言った。

「何？　普段はあるんですか？」

もうすでに寝室のベッドの上に腰を下ろした高岸は、形のいい唇の両端を笑いの形にゆるめたまま尋ねる。

んー…、と末國は考える。

「時々は？　酔っ払っちゃえばいいのにって思う時はあるね」

「未必《みひつ》の故意ってやつですね」

故意ほど確信的ではないが、ものごとの流れで結果の予想がついているのにもかかわらず、事態を進める状態は故意犯の範疇《はんちゅう》だ。

「故意はいいけどさ、先生、俺の故意の中身がわかって言ってるの？」

「故意の中身？　またそんな理屈っぽいこと言って」

高岸は末國のベッドにばさりとひっくり返りながら、まだ喉奥で笑っている。

理屈っぽいのはどっちだと、末國は整えていた髪を指で乱暴に乱した。

「何、このベッド。無駄に広いですよね、独身のくせにー」

高岸は襟許からネクタイを抜き取りながら言った。

「このスケベ」

寝転んだ形で顔だけを上げ、そこだけわかったような顔を見せる高岸に、グラスを手に寝室の入り口にもたれかかっていた末國は肩をすくめる。

「男は皆、そういう生き物なんです」

「そういう？」

「オオカミだってこと」

「ああ、オオカミ」

高岸はポンと手を打つ。

「僕もオオカミ、オオカミ」

「先生の場合は、むしろ飛んで火に入《い》る赤ずきんなんだけど」

「赤ずきんって火に入りましたっけ？」

えっ、と額に手をあてて天井を仰ぎ、そういう話だったかと考え込む高岸の枕許に末國は腰を下ろす。

「酔ってもマジボケかよ」

やれやれと末國はグラスをサイドのテーブルに置き、寝転ぶ高岸のかたわらに手を突いた。

「ちょっと、赤ずきんちゃん。呑気《のんき》に寝転んでたら、オオカミさんが襲っちゃうよ」

「襲う？　未必の故意で？　だったら、それはもう未必じゃなくて、普通に故意ですよ」

「ボケてるようで、肝心なところはあってるんだよねぇ」

末國は、うっすら開いた薄く柔らかな唇を指先でなぞる。

「抵抗がないと、合意だとみなすよ」

「キスの？」

「さぁ、何かな？」

最初はからかうつもりだったが、あんまり抵抗もなく無防備に自分を見上げてくるので、少しステップアップもいいかと思う。

「さぁて、赤ずきんちゃん、お目々は閉じておこうね」

目の上を片手で覆ってやると、かなりの長さのある睫毛《まつげ》が指に触れ、高岸がおとなしく目を閉じたことがわかる。

「いいのかよ」

末國は呟き、そっと唇を重ねた。

柔らかい唇を何度か啄《ついば》むと、唇が薄く笑いの形になる。

相手が末國だと認識できているのか、いないのかは知らない。

だが、嫌ではないらしいと判断して、唇の隙間から舌を忍び入らせる。

薄く熱っぽい、とろりとした舌先が、やんわりと末國の舌を受け入れる。唇をそっと舐め食《は》むと、やがてゆっくりと舌と唇が応えてくる。

末國の首に、先に腕をまわしてきたのは高岸だった。

思った以上に素直な反応が楽しくて、末國はやや細身の身体を抱き込み、かなりその甘く濃厚なキスを楽しんだ。

「先生…、キスうまいんだ」

乱れた息が融け合う頃、唇を離すと高岸はとろんと溶けたような目で呟く。

「俺ぇ？　キス以外のことも、うまいよ」

「うまいの？」

「試してみる？　赤ずきんちゃん」

「それって気持ちいい？」

「先生、酔うとユルくなるね」

真面目な分、あとで現実に戻って真っ青になるタイプかと思ったが、あまりに反応が可愛いのでそのままシャツのボタンを外す。

「いっつも思ってたけど、肌きれいだよね」

前をはだけ、アンダーシャツ代わりのTシャツをめくって平らな腹部に指を這《は》わせると、またくぐもった声が笑った。

「くすぐったい」

「それは感度のいい証拠」

「…そうなの？」

人の体温は心地いいらしく、甘えたような声が尋ねてくる。

多分、女相手でも酔うとこうして甘えるタイプだろう。

「服、脱がせていい？」

ちょっと身体起こすよ、と背中の下に腕をまわすと、細身の身体をおとなしく預けてくる。

キスの合間にシャツ、Tシャツと剝《は》ぎながら、首筋や腹部、脇腹と順々に辿《たど》り、無駄な肉のない肌のしなやかさと温《ぬく》もりを楽しむ。

「手、温かい」

半ば夢心地なのか、より深いキスをねだりながら、高岸はうっとりとした声で呟く。

顔立ちはいいけれど色気はなくて、いじられキャラが可愛いタイプかと思っていたが、考えていたよりも酔うと色香が増すタイプだ。

「俺の手？」

「うん、…大きくて…」

胸許をくすぐり、柔らかい色味の乳暈《にゅううん》を丸くなぞると、腕の中に抱え込んだ身体がピクンと跳ねる。

「…ん」

唇をあわせながら指先で軽く乳頭をくすぐると、鼻から抜けるような湿った声を洩らす。

「ん…、ん…」

汗なのか、乳暈がかすかに湿り、つまみやすいサイズの乳首がけなげに勃《た》ち上がる。

「知らなかったな、胸もいいんだ？」

「ん…」

高岸は小さく頷く。

「気持ちい…」

「ちょっと、そういう可愛い声は反則だろ？　マジで食うよ」

「…食う？」

「うん、食べちゃおっかなー」

「…ぁ、…ぁ」

高岸の匂いを鼻腔《びこう》に感じながら首筋を舐めあげ、硬起した両方の乳頭を指の間で揉むようにすると、アダルトゲームも真っ青な甘さのかすかな声を洩らす。

「ここ、自分でやる時、触る？」

裸の背中を末國のシャツの胸許に預けながら、高岸は小さく首を横に振る。

「今度やる時さ、触ってみたら？　クセになるかもしれないよ？」

しっとりと湿った乳頭を指で揉み込むようにすると、高岸は舌先に絡む甘ったるい息の間から尋ねてくる。

「…クセになったら…、困らない？」

「そしたら、また俺のところにおいでよ。こうして触ったげるからさ」

胸許に抱え込んでいた身体をシーツの上に横たえ、その身体に寄り添うようにしながら、末國はネクタイを抜き、自分もシャツを脱ぎ捨てる。

胸許に唇を寄せ、硬起した乳頭をねっとりと口中に含むと、目を伏せた高岸はまた濡れた声を洩らす。

「あ…、ん…」

「すっげ、やーらしーな」

含み笑いを洩らしながら、末國はなめらかな下腹へと指をすべらせる。

ベルトの金具を外す音に、高岸が眉を寄せる。

「ん…」

指を下着の中にくぐらせると、すでにそこはしっとりと湿って完全に勃ち上がっていた。

あまり濃くない茂みも、すでに先端から溢れた滴でほんのり湿っている。

「…ぁ、…は」

やんわりと握り込むと、熱い弾力をもって末國の手の中に馴染む。

「ぁ、…あ」

高岸の乳暈を舌先でいたぶりながら、末國は低く尋ねる。

「ここさ、何人の女に触らせた?」

末國の指の動きによって引き出される快感に気を取られているのか、しばらく考えたあと、くぐもった声が馬鹿正直に応える。

「…二人?」

「あー、やっぱり真面目なんだ。知らない方が萌《も》えるけど」

じゃあさ、と末國は趣味の悪い質問を続ける。

「舐めてもらったことは？」

「一度だけ…」

もう少し力を入れて欲しいと、自分から指を伸ばしてねだりながら、高岸は喘《あえ》いだ。

二人とつきあって、一度しかしてもらえなかったのなら、よっぽど真面目な女とのカタにはまった淡泊なセックスかなと、末國は薄く笑う。

「じゃあ、きっと俺の方がうまいよ」

「…ホント？」

酔いと快楽に濡れた目が尋ねる。

口に含んで欲しいという、欲がないわけではないらしい。

普段は生真面目そうなくせに、案外、欲望には素直でいやらしいのも好みだなと、末國は口許に笑みを刻む。

「ホント」

末國は笑うと頭を下げ、スラックスと下着を腿《もも》のあたりまで引き下ろす。

「きれいな色してるね」

形もほどよく手の中に収まってサイズ的にもいいと、末國はゆっくりと手にしたものを舌先でなぞる。

「…ぁ」

先端までゆっくり舐めあげ、焦《じ》らすようにその丸みを舌先で嬲《なぶ》ってやると、高岸はうっとりと息を呑む。

酔いのせいで恥じらいがないのは何だが、その分、積極的なのでプラマイゼロか、ちょっとプラスぐらいかなと末國は口を開き、高岸自身を喉奥にまで含む。

「温かい…」

うっとりとした声に、末國はくぐもった笑いを洩らした。

そのうち、ちょっと恥じらいながら喘ぐ顔も見てみたいと欲が出る。

喉奥に馴染む弾力を愛しみ、丹念に舌と口中で愛撫《あいぶ》する。

「ん…、あ…」

鼻にかかった声を洩らしながら、ゆっくりと高岸はシーツの上で身をくねらせる。

清潔な髪がぱさりとシーツの上に散る。

「あ…、いっ…」

喉に甘く絡まる声にそそられ、末國は口に含んだものをなおのこと強く吸い上げ、扱《しご》いた。

「…ぁ」

快感を追って腰をゆらめかせる牡《おす》っぽい仕種《しぐさ》が、普段のお堅い感じを裏切っていい。

ゆるんだ高岸の膝《ひざ》を割り、片脚を下着ごとスラックスから抜きながら、末國は尋ねた。

「もっと気持ちのいいことする？」

「…もっと」

高岸はとろりと濡れた目で末國を見上げ、うんと小さく笑って頷く。

末國は平かな下腹の臍《へそ》のあたりに小さく口づけ、サイドテーブルの引き出しを開けた。

「何、それ？」

末國の手にしたボトルに目を留め、高岸はぼんやりとした口調で尋ねる。

「んー？　ローションだよ」

「ローション？」

何のために使うのかとっさにわからなかったようで、高岸は不思議そうに呟く。

「へぇ、そんなの持ってるんだ？」

「ちょっとずれてて可愛いね、先生」

末國は高岸の唇に小さくキスを落とすと、ボトルからぬめる透明な液体を手に取る。

「少しひんやりするかもしれないけどね」

末國が両手の中でしばらく手に取ったローションを温めるのを、何をされるのかわかっていないせいか、高岸はまだ薄く口許に笑みを浮かべたままで眺めている。

「…ぁ」

日焼けしていない腿を開かせると、片手でつかめてしまう小ぶりな尻の間に、柔らかい色味の窄《すぼ》まりがある。

「こんな無防備に、他の男の前で脚開いちゃダメだからね」

「脚？」

まだきょとんとしたような表情で、高岸は末國の動きを見上げている。

「あ…」

ローションをまぶした手でゆっくりと臀部《でんぶ》を撫《な》でる。

「濡れてる」

「うん、冷たくない？」

「冷たくは…」

冷たさよりも臀部を大きな手のひらで揉まれることに抵抗があるような顔で、高岸はそれでもされるがままに身を任せている。

「脚の力抜いといてね」

太腿のあたりを軽く叩くと、末國は再度高岸を口中に含む。

「ん…」

すっぽりと根本まで含まれる口淫《こういん》は好きなようで、またうっとりしたような満足げな声が洩れた。

昂《たか》ぶったものを丹念に愛撫しながら、末國は濡れた尻の割れ目からゆっくりと窄まりを探る。

「ぁ、どうして…」

「んー？　こっちも気持ちいいからさ」

高岸を横から咥《くわ》えるようにして、いい加減な答えと共に、何度か円を描《か》いた指をゆっくりと熱く狭い場所へとローションの潤いとともに忍び入れてゆく。

片脚を担ぎ上げられているとあまりうまく下肢に力が入らないのか、それとも口淫に気を取られてか、指は少しずつ内部に吸い込まれてゆく。

「あ、指が…」

「うん、指だね」

軽い幼児退行のような反応に、幼児プレイも悪くないななどと邪《よこしま》な考えが浮かぶ。

「ん…」

違和感があるのか、軽い鼻声と共に担ぎ上げた脚が軽く宙を掻《か》くが、そのままヌウッと指を進めた。

「ぁんっ…」

ある一点で女のような嬌声と共に、抱え上げていた高岸の脚が反射的に跳ねる。

「ああ、ここ？」

さらにそこをぐっと指で強く押すようにすると、また切羽詰まった声が上がる。

「あっ」

末國は笑うと、高岸を浅く咥えたまま、何度もその一点を緩急をつけて刺激してやる。

「はっ…、あっ…、あっ…」

ちょっとゾクゾクするような嬌声を上げ、高岸は髪を乱して喘いだ。

末國の口の中で、前立腺を直接に刺激されている高岸は痛いほどに反りかえり、先端から滴をふりこぼしながら張り詰めている。

末國は唇を離すと、身を起こし、自分も前をくつろげてすでに固く昂ぶったものを取り出す。

「こうして…、ね？」

淫靡《いんび》な笑いを洩らすと、自分自身の生殖器を張りつめた高岸のものに重ね合わせ、手の中に握りしめて共にこする。

「あっ、はっ」

眉を寄せ、喘ぐ高岸に身を倒して寄り添わせるようにしながら、末國はなおも手の動きを大きくする。

臀部にまわした指で、内側から何度も深く、いい箇所をえぐってやる。

「あっ、あっ…」

強い快感を止めたいのか、それとももっと強烈な快感を求めてか、末國の肩に縋《すが》るように腕をまわした青年は、末國の手に自らの手を重ねる。

「…は、こんなの…」

「こんなのって、こんな気持ちいいの？」

からかいながらさらにヌッと内部に二本目の指を押し入れてやると、高岸は固く歯を食いしばりながら何度も頷く。

「こんなの、知らない…」

高岸は呻《うめ》くように呟くと、自ら腰を揺らしはじめる。

「あ…、センセ…、センセ…」

切羽詰まったような細い声が、何度も末國を呼ぶのが可愛い。

末國の指を奥深くまで二本も呑み込みながら、ヌチャヌチャと濡れる音が卑猥《ひわい》だ。

「イキたい？」

「ん…、ん…」

末國の肩に縋り、片脚を自ら末國の腰に絡めるようにして高岸は何度も頷く。

「じゃあ、イッていいよ」

高岸の耳許、首筋と唇を押しあてながら、末國も息を弾ませてささやく。

「あっ…、いいっ…、いいっ…」

ギュッと末國の肩口に額を押しあてると、高岸は荒い息と共に呻き、共に握りしめた末國の手を白

く濡らす。

手の中で大きく息を弾ませ、何度も強く震える身体を抱きしめて、末國も高岸の放った精で濡れた手の中に射精した。

Ⅲ

シャワーを浴び、下着一枚の格好で戻ってきた末國はベッドの端に腰を下ろし、毛布を抱き、身体を丸めるようにして、すでに深く眠り込んでいる高岸の顔を覗き込む。

「可愛い顔しちゃって、まぁ…」

手を伸ばし、ベッドサイドに置いたままになっていた、すっかり氷の溶けきったグラスの水を口に含みながら、末國は眠り込んだ高岸の頬を軽く突いた。

「赤ずきんちゃんが、自分からオオカミさんのベッドにもぐり込んできちゃ、駄目じゃないの？　どうせ明日の朝になったら、覚えてないんだろうけど…」

何度か高岸のくせのない黒く柔らかな髪を撫で、末國は呟く。

「なーんか、先生。その生意気さとエロさのギャップに、俺の方がはまりそうだよ」

小さく高岸の頬に口づけると、末國はしっとりと人肌に温まった毛布の中にもぐり込み、きゅっと丸くなって眠る身体を抱き寄せた。

翌朝、頭の鈍い痛みと共に目を開けた高岸は、しばらく覚えのない部屋をぼんやりと見る。よく整頓《せいとん》された書架が見え、そこに法律論や判例集が並んでいるのが見える。

だんだん意識がはっきりしてくると、温かい毛布の肌触りが覚えのあるものと違うこと、そして自分の身体に寄り添うように誰かの熱があることがわかる。

しかも、ずいぶん生々しい感触で、触れあう素肌の感触が妙にリアルだ。

そろりと体勢を変え、後ろを振り返った高岸は怖いぐらいにすぐそばに、よく見知った男の整った顔があるのを見た。

その肩や腕は剝《む》き出しで、パジャマも身につけていない。

何だ、この恐ろしいシチュエーションは…、と高岸は固まった。

そして、自分もどうやら素っ裸であるという恐ろしい事態に気づき、そろそろと男から身体を離す。

飲み過ぎたせいだろう。高岸は鈍く疼《うず》く頭を押さえながら、どうして末國とこうして二人、同じベッドで裸に近い格好で寝ているのかと、ダブルベッドの中でギリギリに近いところまで身体を離す。

「…ちょっと先生?」

声を掛けると、目を閉ざした末國が低く呻きを洩らす。

目を閉じていると、よけいにメリハリのきいた顔立ちの端整さが目立った。

憎たらしいことに、いい男は寝顔までかっこいいのかと、高岸は濃い色の髪を乱し、枕に顔を埋《うず》め直そうとする末國の肩を揺すった。

「…先生?」

よくはわからないが、微妙に腰のあたりに違和感があるのが不可解だ。

だが、痛みがあるわけではないので、間違いがあったわけではないらしい。

しかし、こうして男二人で裸でベッドで寝ていること自体、すでに人生の間違いといえば間違いだ。

「先生、起きてください。お願いしますから」

「…ん？　…ぁあ」

末國はわずかに目を開け、不機嫌そうな声を洩らしただけで、身動きもしてくれない。

知らなかったが、高岸が考えていたよりも寝起きは悪いのかもしれない。

どうしようかと途方に暮れかけたところで、乱れた前髪越し、しばらく細めた目で高岸を見ていた末國が、むくりと身体を起こした。

「…おはよう」

かすれた声で呟き、男は髪をかき上げる。

「おはようございます」

「ん…」

「あの…、先生？」

まだ覚醒《かくせい》したのかしてないのかもわからない相手に、高岸は恐る恐る尋ねる。

「んー？」

「これ…、何もしてないでしょうね？」

末國はまだどこか不機嫌そうな顔で、んー…と呻く。

腹を立てているわけではなく、デフォルトで寝起きはあまり機嫌がよくないらしい。

「…何もしてないでしょうねってさぁ…、昨日、この部屋まで勝手にひっついてきたの先生だろ？」

「ひっついてきた？」

はぁ、と言いかけ、高岸はタクシーの中で末國先生の部屋で泊まるから大丈夫だ、などと言い張ったことをうっすら思い出す。

末國が何か言っていたが、それについてはさっぱりだ。

ようやく目が覚めてきたらしく、末國はいつもの人の悪い笑みをにやりと口許に浮かべた。

「俺、知らなかったけど、センセイ、酔うと脱ぐんだよね？」

「…いや、これまでは特に酔って脱いだ経験がないので」

「そうなの？　でも、ほら」

末國がひょいと無造作に毛布をめくりかけるのを、うわっと声を上げて高岸は押さえた。

その弾みでまたズキズキと頭が痛む。胃のあたりも微妙につかえている。

「何するんですか？」

「だって、マッパだろ？」

「先生、何もしてませんよね？」

「何もしてませんよねって、心外な。それとも何かして欲しかった？」

「いえっ」

「ああ、期待されてたんじゃないんだ？　俺はてっきりそうなのかと」

うっすらと髭《ひげ》の目立つ末國は、いつもとは違ってワイルドな印象だが、それもまた雰囲気が違っていい男風だった。

ふうん、と末國は毛布の上に身体を伸ばしながら、片頰で笑ってみせる。

「先生、自分から脱いで、クリスマス前だから一緒に寝なきゃ寂しいって言うから…」

どういう経緯でそれを口にしたのかは知らないが、それもほんのり記憶に引っかかっている。

赤ずきんの話がどうこうと言ったことも、何かえらく気持ちがよかったような記憶も断片的にある。

高岸はこんなに前後不覚になるまで酒を飲んだのは初めてだが、酒に強い末國はことの顚末《てんまつ》をすべて覚えているようだ。

何があったのか、つきつめて聞くのは怖い。

そして、何を言ってみたところで、今のこの状況はあまりに自分に分が悪すぎると、高岸は思い直す。

「いやもう、昨晩は本当にご迷惑をおかけしまして」

下肢が剝き出しにならないよう、毛布で下腹から下を隠しながら、高岸はとにかく平身低頭で頭を下げる。

「うん、そうねー。迷惑っていうこともなかったけど、楽しかったし」

ね、などと男は意味深な笑いを洩らす。

高岸はその微笑みの内容について、深く考えないようにした。

「とりあえず、朝飯食う？」

「…朝飯」

「何？　あんまり食欲ない？」

「いや、ちょっと頭痛くて…、胃も…」

「ああ、二日酔いか。あれだけ酔ってたらね…。とりあえず、飲み物持ってきたげるよ」

身を起こし、ベッドから立ち上がった末國がボクサーパンツを履いているのを見て、高岸はわずかばかりほっとする。

自分は全裸で寝た経験などこれまで一度もない。

しかし、末國まで完全に素っ裸というわけでなければ、飲み過ぎのあまりに勢いで全部脱いでしまったのかもと、思えないわけでもない。

そうだ、これ以上は絶対に深く考えないことにしようと、高岸はさっきまで以上に鈍く疼く頭を抱え、意外に心地いい末國の毛布の上に倒れ込んだ。

Ⅳ

「高岸先生、この大阪への出張、次回から日帰りにして頂けませんかね？」

連休明け、事務所でコピーを取っていたところを大橋に背後から呼びかけられ、高岸は口ごもる。

「日帰り…ですか？」

「ええ、日帰り。まぁ、大阪出張はしばらくないと伺ってますが」

相変わらずのはきはきしたもの言いで大橋は返してくる。

「あー、次は来年ですね。確か一月十八日です。三笠《みかさ》電設の大阪支店の裁判なんですけど」

「ええ、それも伺ってます」

「管轄が神戸地裁の伊丹《いたみ》支部で、ちょっと朝一番の裁判だと厳しいっていうのか…」

「伊丹空港からタクシーで行けるんじゃないですか？」

「朝一番の飛行機で？」

「ええ、さっき調べましたら新幹線では無理ですけど、七時羽田発の飛行機だったら間に合うと思いますよ」

「それも一度は考えたんですけど、ちょっと朝七時に羽田は…。二十分前に搭乗口にいなけりゃならないんで厳しいかなって」

「先生のお宅からだと、池袋から五時四十五分発のバスがあるんです。そこまではタクシーを使って頂いてけっこうですし」

「それって…、四時半起き…ぐらいですかね？」

「ええ、先生、普段ゴルフの時には、四時ぐらいに起きてらっしゃるんでしょう？」

「ええ、まぁ…」

あれはレジャーであって、さすがに仕事で四時起きはしたことがないが…。

「じゃあ、それより三十分はゆっくり出来ますよ。帰りはゆっくり新幹線の中で寝て頂いてけっこうですから」

「…頑張ってみます」

「昨今厳しいですから、切りつめられるものは切りつめないと」

ね、と貫禄ある笑みで釘を刺され、はぁ…、と溜息をつきながら高岸は席に戻る。

そして早くいそ弁の身を脱出して、事務員に朝の四時半に起きて仕事に行けなどと言われない、一国一城の主《あるじ》になりたいと衝立《ついたて》の陰でひっそり思った。

「お疲れのところ悪いんだけど、高岸先生」

椅子に座って肩を落としたところを見られていたらしく、自室から顔を覗かせた三和が招く。

「…いえ、すみません」

「ひとつ、刑事事件の私選案件が来ててね。コンビニ強盗」

「それは穏やかじゃないですね」

師走で金がなかったのだろうかと、高岸は立って三和に招かれるまま、部屋に足を踏み入れる。

人から金を奪うほどに当人に金がないのに私選弁護人というのは、見かねた親族が払うと言って依頼してくるという場合が多い。

「何、えらく溜息ついて。連休疲れ？」

三和にニヤリと笑われ、いえ…、と高岸は口ごもる。

「デートでもしてたの？」

「相手がいませんから」

連休の大失態を思い出し、高岸は小さく溜息をつく。

ところどころ断片的に記憶にはあって、でもあまりに恥ずかしく、常識的には絶対に考えられないような記憶なので、悪酔いしたせいで夢か何か見たのではないかとも思っている。

末國に聞いたところで、あの男の性格なら悪乗りして脚色した話を吹き込むことも考えられる。

ならばいっそ、何もなかったことにしてしまいたい、いや、してしまおうと高岸は思った。

「君、末國先生にクリスマスディナー奢ってもらうんじゃなかった？」

「…はい、まぁ」

そういえば隠れ家フレンチが嬉しくて、つい連休予定を尋ねられた時に三和に報告してしまい、末國と行くのかと失笑されたことを思い出す。

「美味しかった？」

「はぁ、美味しかったです。ちょっと感動できるぐらいに…」

その感動もすっかり吹っ飛んでしまったが…と、結局はあれから丸一日、末國の部屋で二日酔いで寝込んでいた高岸は内心で思う。

「ふうん、よかったじゃない」

三和は高岸の懊悩《おうのう》を見透かすような笑いを見せ、送られてきた手許のＦＡＸを高岸に手渡してくる。

「コンビニ強盗って、被告本人はかなりの凶悪犯なんですか？　年の瀬が越せなくて、思いあまってとか…」

手渡された用紙に目を落としながら、高岸は尋ねる。

「いや、もっと馬鹿な話だよ。会社員が泥酔して、カッターナイフを持ってコンビニでプリンとパンを強盗。コンビニを出たところで、駆けつけた警察官に逮捕されたらしい」

「…愉快犯ですか？」

失業中で食べるに困っていたわけでもなし、盗んだものが間抜けすぎると高岸は尋ねる。

覚えてなくとも、盗ったものが間抜けでも、人を凶器で脅して物を盗み取る強盗は、押し入った先が銀行でもコンビニでも同じ重罪だった。

軽く語られがちだが、刑法的にはけして、コンビニ強盗が銀行強盗より罪が軽いわけではない。

しかも、カッターナイフを普段から鞄に入れていたということで、銃刀法にも引っかかる。

「いや、飲み会のあとでべろべろに酔って、金の代わりにカッターナイフを出したって。まぁ、本人覚えてないって言ってるらしいけどね。年の瀬になると、こういう手合いがやたらと増えるんだよね」

「…なんというか、社会人としてどうなんですかね、それ。いい歳した会社員がプリンだのパンだのって…。まず、そんな前後不覚になるまで酔うこと自体が…」

いい歳した大人が何をやっているのかと言いかけて、高岸は末國の部屋での自分の泥酔ぶりを思いだし、口をつぐむ。

「確かに酔って覚えてなくても、犯罪は犯罪だからね」

ふん、と三和は尖った鼻を鳴らす。

「酒飲んでて酔っぱらってたんで許してくださいっていうのは、社会人として恥ずかしいことこの上ないね」

高岸はすぅっと顔から血の気が引くのを感じた。

「…とはいえ、初犯で本人も酔いが醒めてからは真っ青になってるっていう話だし、心神耗弱と本人がいかに反省しているかを訴えるのが定石だね」

「…これ、僕の担当ですか？」

恐る恐る尋ねる高岸を、三和はちらりと眼鏡越しに見た。

「嫌ならいいよ。もうひとつ国選弁護人の依頼が来てて、そっちは連続婦女暴行事件。出所してすぐの再犯らしい。これは僕が引き受けようかと思ってたけど、こっちのほうがいい？」

「…いえ、すみませんが」

聞くだに胸の悪くなる事件に、高岸は目を伏せる。

いくら弁護士とて、弁護の余地もないような犯罪者のために働くのは、仕事だとわかっていても嫌なものだ。仕事であっても、抵抗する女性を何人も、いかにレイプしたかという仔細《しさい》を、法廷で延々聞かされるのも辛い。

しかも国選弁護人となれば、一度引き受けてしまえば、まず自分から弁護を降りることが出来なくなる。相手が解任してくれない限り、どうしようもない人間だとわかったあとでも、最後まで弁護をまっとうしなければならない。

しかし、どんな犯罪者であっても、法廷で弁護人を立てる権利を有している。誰かが被告人のために弁護人を引き受けなければならない。

要するに高岸の腹が据わっていないだけで、そういう事件もきっちり弁護できるようにならなければ、弁護士としては半人前なのだろう。

だが、せめてもう少し経験を積んで、色々割り切れるようになってから臨みたい。

「じゃあ、これ、よろしく。まぁ、うまくすれば執行猶予がつくでしょう」

「…はぁ」

別の意味で浮かぬ顔の高岸に、事件内容が不服だと思ったのか、三和はにっこり笑ってみせる。

「高岸先生、若いうちは色々経験しておいた方がいいよ」

暗に、君には仕事の拒否権などないんだよと言われ、高岸は気の重いまま頷いた。


十二月も末の三時半過ぎ、すでに日射しはかなり西へと傾いている。

四ツ谷の駅に近いコーヒーショップの前を通りかかった末國は、中に高岸がいるのを見つけた。

テーブル席に片肘をついて、ややぽんやりした様相である。

今日の昼間はどこかに出向いていたようで事務所界隈では見かけなかったが、この様子ならよもや自分との夜を思い返してくれているのではあるまいかと、半ばうぬぼれ、半ばはからかい気分で、末國はショップの中に足を踏み入れた。

「高岸先生、こんなところで仕事サボってていいの？」

「いえ、サボっているわけではなく…」

普段ならもっとテンポのいい言葉がぽんぽんと返ってくるところだが、高岸は微妙に視線を逸らせる。

「何か考え事？　あ、俺、注文してくるから荷物見ててね」

高岸の承諾を得ないまま、末國は革のブリーフケースを勝手に前の席に置き、カウンターへと向かう。

カプチーノを手に席に戻り、目を伏せがちな高岸の前に腰を下ろした。

「何か問題でもあった？　また大橋さんにやっつけられたとか？」

「それはいつものことですから…」

高岸は歯切れ悪く答える。末國と視線を合わせようとしないあたり、気恥ずかしいのか、後ろめたいのか。

「被告と面会に行ったので、事務所に戻る前にちょっと頭を整理しようかと思いまして」

頭の整理というより、気持ちの整理なのだろうが、どちらにせよしばらく事務所で大橋につつき回されたくない気分らしい。

「被告と面会っていうと、刑事事件？　俺でよければ、相談に乗るよ。わかる範囲でよければの話だけど」

末國の専門は金融や商法、手形関係だが、駆け出しの頃はやはりそれなりにありふれた民事訴訟や刑事事件もやらされている。

岩瀬総合法律事務所は、もっぱら民事訴訟メインに動いている。

高岸の事務所とは異なり、国選弁護人などはまず引き受けないが、事務所が大きい分、やはり知人の紹介などで刑事事件を受けざるを得ないこともある。

そういう時、勉強という名目で雑事を押しつけられるのは、当時、いそ弁だった末國だった。今は同じ役目を、新しいいそ弁の松嶋が振られている。

高岸と仲良くやれているのは、これまでそういう面で相談に乗ってきたというのも理由のひとつだった。

むろん、弁護技術や依頼人とのやりとりの指導は谷崎や三和が直接にあたるので、末國の役割はどちらかというと同業に共通の心理的なぼやきを聞くという程度だ。

いくら弁護士で、仕事上はやむを得ないとわかっていても、精神的に辛い時もあるし、やりきれないこともある。

「強盗事件でして…」

高岸はかなり凹んでいるのか、相談に乗って欲しいともいわずに前置きもなくぼそりと話し始めた。

聞かされたのは、酒に酔った勢いでコンビニ強盗というどうにも情けない話だった。コンビニ強盗でなければ、駅で暴れたか、自販機を壊していたかというような低レベルな話だ。

「…ほう、事件そのものを酔って覚えてないって？」

「はぁ、本人がそれを繰り返すばかりで…」

「酔って、お金のかわりに鞄に入ってたカッターナイフを出したと…」

へぇ、と末國は呟く。

「いくら酔ってたにしても、そんなことあるわけ？　鞄にカッターナイフが入ってたことは覚えてるのに」

「べろんべろんに酔っていたそうです。なので、コンビニを出てすぐに駆けつけた警察官に呆気《あっけ》なく逮捕されてまして…」

答える高岸の視線は泳ぎがちで、普段よりも微妙に滑舌が悪い。

「中学生でもあるまいし、強盗やって、酒飲んで覚えてないっていうのもどうよ？」

「はぁ、まことにお恥ずかしい限りで…」

まるで自分が責められているかのように、高岸はうつむく。

この反応は、この間の夜をまったく覚えてないわけではないなと見当をつけ、末國はさらに追い打ちをかける。

「まぁ、刑事犯罪ではたまにある話だよね。そもそも吐くまで酔うとか、酔いつぶれて寝てしまうとかいうのは、誰でも一度は経験のある話だし？」

ねぇ、と末國は思わせぶりな形に目を細める。

「この間の高岸先生も、いい感じに酔いがまわってたよね？　もう覚えてない？」

しれっと尋ねると、高岸は片頬を引き攣らせる。

「…色々と、僕も未熟ですみません」

「いやぁ、可愛かったよ。本当に俺の隣で、朝までキュッと丸くなって寝てたもんね。クリスマス前の夜を、高岸先生と共に二人きりで過ごせてよかったなぁ、俺」

「…そういう意味深な言い方、やめてもらえませんか？」

「おや、失敬。じゃあ、どういうふうに言ったらいいのかな？　こういうのはどうだろ…」

言いかけた口を、テーブル越し、立ち上がった高岸にがばっと片手で塞《ふさ》がれる。

「…先生、どうか、ご内密に…」

口許を塞がれたまま、末國は目の前の血相を変えた高岸をまじまじと見る。

高岸はその整った真面目そうな顔を、徐々にうっすらと染めてゆく。

普段鼻っ柱の強い分、こういう風に恥じらう様子はちょっと可愛い。思いあまったらしき動きも楽しい。

やにわに立ち上がって末國の口を塞いだ高岸の動きに、周囲の客が不審そうな目を向ける。

末國は口を覆った手を軽くつつき、離すようにと促した。

「…センセイ」

にったり笑いかけると、高岸は額に手をあてながら椅子に腰かけ直す。

「…取り乱しました、すみません」

「気にしてないよ、他ならぬ俺とセンセイの仲だし？」

「そんな風に言われるような筋合いは…」

「ないんだ？　じゃあ、困るようなことは少しもないよね？　ありのままに真実を語ればいいじゃない。センセイが前後不覚になるまで深くお酒を飲んで、俺の部屋のベッドで寝ていっただけ。なぜか一糸まとわぬあられもない姿だったことについては、記憶が飛んじゃってるだけで」

しゃあしゃあと言い放つ末國の前で、高岸は顔を覆ってうなだれる。

「…いえ、そのような仲なので、ぜひとも心中お察し頂きたく」

「困ったなぁ」

「何か末國先生の方で特段のご要望がありましたら、承りたく思うのですが…」

高岸は口惜《くや》しそうに顔を歪《ゆが》めながらも、もごもごと不本意そうに口にする。

「そう？　じゃあ…」

末國はにこにことしながらも、少しだけ考えている振りを見せた。

「デートする？」

「はぁ？」

高岸は一気に呆れたような顔となる。

「おや、嫌なんだ？」

「いえ、そのようなことはひと言も！」

それ以上つけいられることを怖れてか、妙にどきっぱりと否定する高岸に、末國はわずかばかりの譲歩を見せる。

「デートと言うのが不服なら、まぁ、食事でも一緒にどうかなってことで。年末年始、恥ずかしながら俺はひとり身だし、俺の部屋で鍋《なべ》とかどうかなぁ？　…って言っても、俺は料理はさっぱりだから、準備はセンセイにお任せになっちゃうけどね」

「末國先生、ご実家は？」

「残念ながらうちの母親に親孝行の名目で、夫婦揃ってのヨーロッパ旅行をふんだくられちゃったから、実家には誰もいないの。ひとり侘びしく、マンションで過ごさなきゃ」

どうにもこうにも寂しいなぁ…、と末國はわざとらしく呟いてやる。

「三十過ぎた成人男子が寂しいだなんて、さすがにそれは如何《いかが》なものかと思いますが」

ささやかな反撃を試みる高岸に、末國は笑顔で応じる。

「いやぁ、センセイだって、きっとこの気持ちはもう数年経《た》てばわかるって。センセイも、いつまでも若いつもりじゃいられないしね」

「嘆くか嫌味言うか、どちらかにして頂けませんか？」

高岸が恨めしそうに睨むのに、末國は大仰に眉を上げて見せた。

「おや、センセイは俺をそんな小さい男だと？」

「そんなことはひと言も言っておりません。年末の鍋上等。受けて立とうじゃありませんか」

デートの誘いを受けて立つというのも如何なものかと思うが、高岸が応じるというなら、今日のところはそれでいい。

「じゃあ、決まり。張り切って、フグとか買い出しちゃおうかなぁ」

「楽しそうですね」

「もう、すっごく楽しいね。高岸先生は違うんだ？」

「いえ、心の底から楽しみです」

本当にもう…、と高岸は薄い肩を落とす。

ここからどうやって口説いてやろうかと、末國はにんまりと口許を笑いの形に作った。

I

年末の約束の日、高岸が待ち合わせの改札前に出向くと、末國は何か携帯で話しこんでいた。すぐそばにまで行くと、高岸に気づいた末國は片手を上げ、間もなく話を終わらせる。

「先生、俺の同期の検事の佐々木って覚えてる？」

携帯をコートの胸ポケットに戻しながら、末國は尋ねてきた。

「旭川地検にいるっていう？」

覚えてるも何も、末國が想いを寄せているのではないかと言われていた相手じゃないかと、高岸は頷く。

「そう、その佐々木。今から飛行機に乗るらしいんだけど、鍋に参加させてやってもいいかな？」

「かまいませんけど、ずいぶん急な話なんですね」

「あー、地検って忙しいからさ。本当は仕事も今日まで食い込んで、明日以降の帰省になりそうだったらしいんだけど、何とか終わったからって」

確かに検察官は慢性的に数が足りないため、どこもかなりのオーバーワークだと聞いている。

「早く雪のないところに戻りたいってさ」

末國は笑って、改札を出てすぐのデパートに足を踏み入れる。

「その佐々木さんはかまわないんですか？　先生と積もる話とかは？」

「いや、最近仲のいい弁護士の先生と鍋やるって言ったら、会ってみたいって」

仲がよくて、素っ裸で共にベッドで寝入ってしまったほどだが…、と高岸は何とも複雑な気持ちのままで末國についてエスカレーターで地下へと下りる。

この間のことがあったばかりで二人きりで鍋もどうしたものかと思っていたが、そこへ末國が気に入っていると聞かされていた相手がやってくるのも、不思議な気持ちだ。

不思議で、何とも微妙な…、と高岸は胸の内に湧《わ》いた不可解な思いを無理に奥へと押し込む。

「フグ買う前の連絡でよかったよ」

海鮮コーナーで並ぶ魚を物色しながら、末國は笑う。

「帰省って、佐々木さん、ご実家には帰られないんですか？」

「今日は俺のところに泊まって、明日は実家に戻るんじゃない？」

普通に部屋に泊まり合う仲なのかと、高岸は曖昧に頷いた。

それから末國について回って鍋の具材を買い、酒のコーナーで鍋に合いそうな辛口の日本酒や白ワインを選んだ。

それを末國のマンションに持って帰り、台所を借りて鍋の準備を始める。

「先生の部屋、客布団あるんですか？」

「うん、一応ね。実家にあった奴が、ひと組押し入れに入ってるんだよ。一応、布団乾燥機をかけておくか」

末國は普段はあまり使っている様子のない和室に掃除機をかけ、布団乾燥機の準備をしている。

「佐々木さんのお迎えは？」

「ああ、ここは知ってるから、放っておけば勝手に来るよ」

どこか普段よりもウキウキと浮ついたような様子で、末國は応える。

どうも何度か、相手はこの部屋に来たことがあるらしい。

普通なら、末國の仲のいい同期に会わせてもらえるのは喜ぶべきところなのだろうなと思いつつ、胸の内の微妙なモヤモヤが晴れないままに、高岸はさして時間のかからない準備を終えた。

そうこうしているうちに、インターホンが鳴る。

「ああ、来たんじゃない？」

末國はそう言って、応答ボタンを押す。

『佐々木です』

インターホンから聞こえてきたのは、思っていたよりも低く深みのある声だった。

「ああ、開けるから上がれよ」

末國は気さくに応じている。

ほどなく部屋のインターホンが鳴り、高岸は末國について玄関へと向かった。

「よく来たな」

嬉しげにドアを開ける末國の前に、長身の男が立っている。

末國ほどの身長はないが、それでも十分に長身の部類だった。高岸とは違って、スーツのよく似合うすらりとした体格をしている。

末國がすらっとした正統派の男前だと言っていたが、本当にすっきりと白くよく整った顔形だった。

昔の白黒の頃の邦画に出ていたような、ちょっと愁いを含んだ秀麗な色男といった感じだ。

「高岸先生」

男に笑顔を向けられ、高岸は慌てて頭を下げる。

弁護士なので先生と呼んでもらったのだろうが、司法試験に受かっているのは佐々木も同じだし、年齢では佐々木の方が上なので恐縮してしまう。

「佐々木です、こんにちは。はじめまして」

雰囲気も禁欲的《ストイック》だが、声まで低くて節制の効いた声だ。

「高岸です、こちらこそ、よろしくお願いします」

すっきりとした挨拶に対し、あまり気の利いた挨拶を返せない自分に凹む。

「お疲れ、上がれよ」

末國は楽しげに促す。

「東京は暖かいよな。外気温が全然違って、驚いた。何より、雪がない」

北の国から現れた端整な容姿の検事は、そう言って微笑んだ。


「こちらが今、俺が将来的には一緒に事務所やろうよって口説いてる高岸先生ね」

マンションの玄関先で末國が高岸を紹介してくれると、旭川地検の検事である佐々木は軽く声を上げて笑った。

面立ちばかりでなく、とにかく佇《たたず》まいから声、笑い方まで端整だ。出来すぎていて、昔の正統派俳優が文学作品やクラシックなサスペンスもので検事役を演じているような印象さえある。

「この男は口がうまいから、信用ならないでしょう？」

「ああ、それは確かに…」

高岸は頷いた。

「いや、それは商売柄ってやつでさ」

末國は司法修習時代の同期に信用ならないと言われても、たいして悪びれた様子もなく唇の片端を上げる。

「昔は俺も口説かれたんですけどね。検事なんてやめて、俺と一緒に弁護士やろうぜって」

佐々木は肩からコートを脱ぎながら言った。

「そうなんですか？」

どういうことだと、まだ末國と事務所をやると決めたわけではないが、高岸は片眉を跳ね上げて末國を見る。

これだからこの男は信用ならないというのは、佐々木と同感だ。

そんな高岸の視線を、男はいつものようにしれっとした表情で受けとめる。

「佐々木を口説いたって、時間の無駄だってわかったからやめたよ」

さほど深刻な様子もなく答えると、さぁ、入って、入って、と末國はいつものように調子よく中へと促す。

これはけっこう本気で口説いてたのかもしれないなと、高岸は長身の男の背中を睨んだ。

この流れだと佐々木がなびかないから、高岸に声をかけてきたのではないかと思える。それはそれで、なかなか面白くない。

別に末國ほどに仕事があれば、独立してひとりで事務所も構えられるのだろうが、若いうちは報酬面で足許を見られて値切られたりすることも多い。できれば二人ぐらいで事務所をやっていく方が経費面でも、精神面でも楽だ。特にテナント料や事務員などの人件費は非常に高くつくので、折半出来ればそれにこしたことはない。

末國がいずれ独立を考えているなら、誰かに声をかけるのはわかる。

だが、しかし…、と高岸は鍋の用意をほぼ終えた末國の部屋のキッチンに足を踏み入れながら、細い眉を寄せた。

了見が狭いのかもしれないが、自分が誰かの後釜《あとがま》というのはやはり気分的に面白くないものだ。しかもあんなに見てくれもよく、仕事もできそうな人間の後となれば、どうしても自分が劣って見える。

いや、誰が見ても間違いなく劣る。

なんだ、ホストクラブみたいな弁護士事務所を作りたかったのかと、高岸は出汁《だし》を取り終えた鍋の味を見る。

最近は企業にも女性経営者、女性重役も多いから、それはそれで受けるかもしれない。

むしろ、そこそこ図太くて自己アピールのうまい末國なら、それぐらいは平気で考えていそうだ。

残念ながら末國と高岸の取り合わせだとホストクラブにはならない。せいぜいが若手有名弁護士とその頼りない弟分といったところだ。

経費面でもおそらく当面は末國におんぶに抱っこ状態になってしまい、あまり末國にメリットはない。

そこまで考えた高岸の胸中に、どうして末國はわざわざ自分に、一緒に事務所をやろうよなどと誘うのかという疑問が浮かぶ。どう考えても、高岸が足を引っ張る形になる。

それとももう五、六年して、谷崎や三和から仕事先をわけてもらい、そこそこ高岸が使えるようになってからの話なら大丈夫だと踏んでいるのか…。

場合によっては、いつものからかいの延長程度の話かもしれない。

「そうだ、これ、お土産な」

「お、悪いね」

そう言って末國が佐々木から受け取ったのは、どう見ても酒の箱だ。二つの箱のうち、片方は一升瓶ほどもある。

「こっちは焼酎《しょうちゅう》?」

「そう、紫蘇《しそ》焼酎」

「焼酎って、紫蘇からも作れるんだ?」

「みたいだな。ふわっと紫蘇の香りがして、美味い」

「美味いって、お前の場合はさ…」

言いかけて末國は、カウンターの内側にいる高岸を振り返る。

「佐々木はウワバミなんかを通り越して底抜けの酒豪クラスでね。こんなつらっとした綺麗な顔してるけど、アルコールだったら医療用のメチルアルコールでも飲みかねない奴なんだよ」

当の佐々木は否定もせずに、ふふっと口許で笑うばかりだった。

「これさぁ、土産の体裁をとった、自分へのご褒美だよな。見事にアルコールばかりだよ」

これで足りるといいけどなと末國はぼやく。

「一応、北海道産の生ハムとサラミも買ってみた」

ほら、と佐々木は末國に別のビニール袋の中身を見せる。

「ああ、お菓子とかじゃなくて酒の肴《さかな》ね」

はいはいとおざなりな返事をする末國を横に、高岸は勝手知ったる他人の家で土鍋を食卓の上に運ぶ。もう食器も並んでおり、いつでも鍋をはじめられる状態だった。

「酒なんて、そこらのコンビニでも買えるからな」

足りなくなるかもとぼやく末國に、佐々木は涼しい顔で笑う。

高岸は鍋に具材を入れながら尋ねる。

「ひとりでも飲まれるんですか？」

「いや、別に酒はなくてもいいんだ。ただ、誰かと飲むとなったら、ね？」

眉目《びもく》秀麗な男は、ね…、と首をかしげても様になる。様になるけれども、おそらく尋常でなく飲み倒すのだろうなということが容易に想像出来た。

この間、クリスマス前夜に末國と飲んで意識を飛ばしてしまった高岸にとっては、佐々木が自分のように酒で前後不覚になるとはとても思えない。

「カニとか買ってくればよかったんだけど、空港で買うと量が少ないわりに観光地価格でバカみたいに高いしね。高岸先生は、カニはお好きなんですか？」

「かなり好きです」

正直に答えると、佐々木は破顔する。笑っても端整な印象は崩れない。

「じゃあ、この鍋の準備をしてもらったお礼に今度お送りしましょう。鍋、用意してくださったのは高岸先生でしょう？」

佐々木は末國が料理をしない人間だと、よく知るらしい。

「え、いや…カニって高いし、そんな…」

高岸は口ごもる。さすがに初対面でいきなり言葉に甘えてカニを送ってくれというほど、図々しくは出来ていない。

あれ、と声を上げたのは末國だった。

「旭川って、カニ売ってるんだ」

「内陸だから旭川産のカニっていうのはないけどね。卸のチェーン店が数軒あるから、東京で買うよりはずっと安く買えるよ」

「公務員がそれやると、収賄じゃないの」

「俺が高岸先生を収賄？　裁判で検事が弁護士に便宜を図ってもらう？」

二人は顔を見合わせて、ないねぇと笑う。

まさに息がぴったり合っていて、絶妙の間《ま》だった。あえて確認せずとも、本当に心底気があっているのだろうなと思えるような空気感だ。

「旭川地検《うち》で扱う事件で、わざわざ相手を収賄しなきゃいけないような重大事件ってあったっけ？」

「あいかわらず、爽やかに毒舌系だね」

こういう男だよ、と末國は佐々木を指さす。

だが、こういう男だといわれても、よくわからない。末國と気が合うだけに、爽やかそうな見た目よりも、若干毒がある、あるいは腹が据わって剛胆だということだろうか。

「鍋って、何鍋？」

尋ねる佐々木のグラスにビールを注ぎながら、末國は胸を張る。

「年末だから奮発してフグだよ、フグちり。しかも天然もの」

「天然？　俺、食ったことないかもな。普通に街中の飲み屋で出てくるフグって、養殖だよな」

「まぁ、普通の居酒屋やフグのチェーン店程度なら養殖じゃない？　俺も知らなかったけどさ、養殖と違って天然物って臭みがないんだよね。でも、普通に出されてたらわからないと思うよ。横に並べて食べ比べると、全然違ったけど」

「すごい額払ってましたよね、先生…」

フグはデカい方がいい出汁が出て美味いんだよ、などと言いながら、にっこり笑って店員にカードを手渡していた末國を思い、高岸は口ごもる。

普段はどちらかというと金銭関係はかなりきっちりしているが、テレビや雑誌のコラムなどで稼いでいるせいだろうか、時折、末國は思いきりのいい使い方をする。駆け出し弁護士の高岸には、とても真似できない。

そういえばこの間のクリスマスディナー、結局、末國の奢りになったが、あれとあわせるとゾッとするような額だなと、いつのまにか末國の部屋に用意されてしまっているマイエプロンを身につけた高岸は、乾杯と二人とグラスを合わせながら思った。

あの晩のことは思い出すだけで頭を抱えて、誰も聞いていないとわかっていてもひたすらに言い訳を並べたくなるので、極力考えないようにしている。

「でも、お目にかかれてよかったですよ。最近、仲のいい先生がいて、一緒に事務所やりたいんだよねなんて末國が言うものだから、どんな方だろうと思っていたんですが…」

佐々木はビールを美味そうに呷《あお》りながら、高岸ににっこりと笑いかけてくる。

さっきまで自分は佐々木の後釜なのかと微妙な思いだったが、こうやって笑みを向けられると、そんな自分の器の小ささが恥ずかしくなってくる。

なんというのか、無意識のうちに人を魅了してしまうタイプの人間だ。こんな検事が検察にいるかと思うと、ちょっと怖い。自分が犯罪者だったら、恥ずかしくなって犯した罪を洗いざらい話してしまいそうだ。

「末國が気に入るというのもわかる気がします。なかなかこう見えて、難しい男でしょう？」

「難しい…ですかね？」

初めて会ったのは四月の半ばだっただろうか。当初から終始にこやかに話しかけられ、若干の胡散臭さ、腹の読めなさは感じたことはあるが、難しい相手だと思ったことはない。

むしろ面倒見もよく、かなり打ち解けて話しやすい相手だった。

「末國、色々注文多いよな？」

「多いかなぁ」

鍋を小鉢によそう末國の佐々木への返事は、あいかわらずとぼけたものだ。

「ああ、美味いね。これが天然だっていうのは俺にはわからないけど、確かに美味いよ」

佐々木は満足そうにフグちりに舌鼓を打つ。

そう言われて高岸も食べてみたが、確かに下関《しものせき》直送という天然フグはさすがに美味い。

「いや、フグは奮発したけど、これは高岸先生の腕がいいんじゃない。何度か飯食わせてもらったけどさ、けっこうねぇ、高岸先生は料理いけるのよ」

末國は過剰に褒めるが、フグちりを少しネットで調べて昆布出汁に具材を放り込んだだけだ。美味いのは末國の言ったとおり、大きなフグの身からいい出汁が出ているのだろう。

そういえば、出汁を取った昆布も違った。末國がこの昆布は味が違うらしいよと買ったのは、利尻昆布という、ちょっと目が飛び出るような額の昆布だった。普通は京都の料亭でほとんどを買い占めてしまうので、一般には出まわらないのだと売り場のオヤジが能書きを垂れていた昆布だ。

あれはただの口上ではなかったのかなと、高岸は思う。

「末國、胃袋、餌付けされた？」

「ああ、それはね。高岸先生の色に染まっちゃったね」

末國はまったく頭にもなさそうな調子のいいことをひょいひょいと口にする。

「こいつ、味も色々うるさいでしょ？」

佐々木に言われ、そうだったっけと高岸は考える。確かに美味しいものは好きだろうが、普段は高岸と一緒に平気な顔でカレーだのラーメンだのの安いチェーン店に入っているので、とかく味にうるさいという意識はなかった。

さほど凝ったこともない手料理に対し、注文を出されたこともない。

ちょっとこだわりを見せたのは、隠れ家フレンチの時ぐらいだろうか。忘年会のイタリアンも美味しかったが、そもそも岩瀬法律事務所の弁護士は全員高給取りなので、あれぐらいのレベルの店にはざらに行ってそうだ。

「佐々木はかなりの味音痴だよね」

末國の返しにも、佐々木は平然と応じる。

「まぁ、それは確かにそうかもね。俺は消化できればそれでいいから。末國は本当に色々注文多いよね」

「そうかなぁ？」

末國は締まりを欠いた笑みを見せる。妙にデレデレして見えるのは、高岸の気のせいばかりではないようだ。

「多い、多い。だいたい、そうそう簡単に人を懐に入れないっていうか、色々面倒《めんどう》な男だよ」

つきあいの長い分、末國の何を知るのか、佐々木は楽しそうに言う。口数少なく、ちょっと近寄りがたいような見た目と違って、わりに言いたいことを言うタイプのようだ。

そんな仲のよさそうな二人を見ている高岸を、末國はひょいと指さした。

「高岸先生はこう見えて、けっこうスケベでね」

「へぇ？」

「何言い出すんですかっ!?」

あのクリスマスの晩の話を持ち出されるのではないかと、高岸は末國に嚙みつく。

「うちの事務所の巨乳の眼鏡っ子が好きなんだよね？」

末國の事務所で事務をやっている鹿島さんのことかと、クリスマス以降はすっかり鹿島さんのことなど頭から飛んでいた高岸は、ああ…と間抜けた声を出す。

「巨乳ねぇ…、俺も大きい方が好きかもしれない」

見た目のすっきりした男は、すました顔でとんでもないことを言い出す。

思わず目を大きく見開いた高岸に、佐々木は平然と笑いかけてくる。

「ねぇ？」

「…いや、佐々木さんはそれ言っちゃダメでしょう？」

今にも説法を垂れそうな禁欲的《ストイック》な色男のくせに、そこいらの男のような俗ッ気を出してはいけないだろうと高岸は呟く。

「どうして？　そりゃ、女性の前ではダメだろうけど男同士だし、プライベートだし」

「いや、佐々木さんは絶対にダメですよ」

ねぇ、と末國に同意を求めると、男は肩をわずかにすくめてみせる。

「そういえば末國先生は、僕に言ったあれは言わないんですか？」

「あれ？」

「女性の胸のことを『あれは乳腺と脂肪から出来てる組織だからねぇ』なんて言うんですよ！」

信じられます？…と眉を吊り上げる高岸に、佐々木は手を打ってけらけら笑う。陽気な酒なのか、意外に笑い上戸なのかは知らないが、リアクションがちょっと想像と違う。

「まぁ、脂肪の大小で目が眩むようなら、先生もまだまだだよねぇ」

「眩むような若輩者で悪うございましたね」

あんたは眩まないのか、と高岸がムキになると佐々木はそれにも楽しそうに笑っている。

鍋が進むと、佐々木は嬉しそうに紫蘇焼酎を取り出した。

「高岸先生、ちょっと試してみませんか？　本当にこの紫蘇の香りがくせになるんですよ」

「あー、僕は…」

例の失態を思い出し、高岸は口ごもる。

「焼酎は苦手なんですか？」

「いや、そういうわけじゃなくて…」

「高岸先生は、この間から自重してるんだよな」

何を企《たくら》んでいるのか、末國は意地の悪い目を向けてくる。高岸はそれを目の端に睨み返した。

「この間？」

「いや、まぁ…、今度、泥酔強盗の弁護を担当することになったのもありまして…」

「強盗？　穏やかじゃないな」

佐々木は整った眉をすっと寄せる。検察官の職業柄なのか、必要以上に整った容姿のせいなのか、それだけですでに責められているような気がした。

「いや、盗んだのはパンとプリンで、場所もコンビニっていうべろべろに酔った挙げ句のみっともない事件なんですけど…」

コンビニ強盗の罪が銀行強盗より軽いと思っているわけではないが、あまりに佐々木が真顔となったので、高岸もつい言い訳してしまう。

「パンとプリンでも、窃盗は窃盗だからね。日本は金銭に比べて窃盗や万引きを軽く考えがちだけど、それを最初に見逃された人間が道を踏み外すことが多いんだよね。あれを謝罪と商品の弁済だけですましてしまうのは、どうなのかな？」

「はぁ…、ごもっともな話です」

予想外に厳しい言葉に、まさに謝罪と弁済による執行猶予ですませたい高岸の語尾はつい小さくなる。

佐々木のキャラをよく知るせいか、末國は横で楽しそうに怖い、怖いと笑うばかりだ。

「しかも、泥酔したって、一口目でいきなり泥酔したわけじゃないでしょ。いい歳した大人なんだから、自分の意志で傍目《はため》にべろべろに酔ってるとわかるまで飲んだわけでしょう？　そりゃ、乱暴目的で無理に酒を飲まされた女の子なら俺も同情するけど、そうじゃないんですよね？」

許せないな、と佐々木は呟く。

「…ですよね」

この間の自分の泥酔状態をまったくの第三者に冷静に糾弾されたように思え、高岸は曖昧に頷く。

「それで人を殴ったり、盗みを働いたりして、理由が酒に酔ったせいでしたなんてのうのうと言ってのける神経が俺には信じられないよ。一応、今の法律では泥酔状態は心神耗弱とされてるけれども、俺はそういう自己責任からくる酔いを何かの言い訳にするのは、人間として外道だと思う」

外道とまで決めつけられ、高岸はすっかりうなだれる。

「…はぁ、すみません…」

「まぁ、再犯ならとにかく、最初はどこまで飲んだら酔って前後不覚になるというのがわからないってこともあるし、反省しているなら更正の余地っていうのもありますから、検事さん、そこはもう少しお手柔らかにどうか…」

ね…、などと、ここに来て高岸への助け船なのか、末國は佐々木のグラスに紫蘇焼酎を注ぐ。

「高岸先生も年末でお忙しいでしょうに、そんな事件まで抱えられて大変ですね」

佐々木はまったく方向違いに高岸に同情を寄せてくれる。

「いえ、駆け出しの若輩者なので、引き受けられる仕事はすべてありがたく…」

実際には選択の余地などなかった。むしろ、再犯の連続強姦魔《ごうかんま》との二択でマシな方であったとも言えず、高岸は口の中でごにょごにょと言い淀《よど》む。

「誰だって最初は、そういうつまんない事件担当するんだって。俺はつまらないネズミ講だったなぁ。民事で被害者側だったけどさぁ」

「ああ、ぼやいてたよな」

その頃の末國を知るのか、佐々木は頷く。

「騙す方も悪いけど、あれは騙される方も悪いよ。世の中、一攫《いっかく》千金なんてうまい話なんてないんだから、地道にキリキリ働けって」

岩瀬の事務所で一番の下っ端だった頃に任された仕事だったと、末國はぼやく。

「で、高岸先生、焼酎が苦手なら、ちょっと匂いだけでも嗅《か》いでみません？」

別に高岸を責める気は毛頭ないようで、佐々木はさっきまでの迫力はどこへか、にこやかにグラスを差し出してくる。

「焼酎はね、洋酒に比べてもあんまり悪酔いしないんですよ」

「…はい」

匂いだけならいいかと、高岸は差し出されたグラスの香りを嗅いでみる。

ふわりと紫蘇の爽やかな香気があった。

「あ、いい匂いだ」

高岸の呟きに、でしょう、と佐々木は頷く。

「よかったら少しだけ飲んでみませんか？　合わなかったら、残してもらっても平気ですしね。他に酒もありますから」

佐々木は気さくにグラスに氷を入れ、ロックにしてくれる。

そこから辛口の白ワインも鍋に合うんじゃないかと末國が栓を開け、師走の仕事模様などを笑い混じりに話しながら鍋を進める。

佐々木の土産のサラミと生ハムも美味しくて、ついつい必要以上に飲んで食べてと高岸は時間を忘れかけていた。

「高岸先生、気をつけなよ。佐々木は勧め上手だから、同じペースで飲んでたら巻かれるよ」

末國がかたわらにお茶を置いてくれながら声をかけてきた時には、高岸の意識はすでにかなり怪しくなりかけていた。この間の失態もあり、なんとか意識を平静に保とうとは思っているが、予想外に酒が美味い。

外で飲む時はたいてい、こうなる前に切り上げたり気分が悪くなったりするものだが、今日は美味しいものをたらふく食べてコンディションがいいのか、やたらと美味く思えてくる。

「なんだったら泊まっていってくれればいいけど」

珍しい末國の案じ声に、寝る場所などあったっけ…、と高岸は口許を笑いの形にしたまま、首をひねった。

「俺と和室で寝てもらう？」

佐々木の響きのいい声が尋ねている。

「いや、客用布団はひと組しかないから、俺のベッドに寝かせるわ。俺はソファーでいいし」

「布団あるのか？」

「毛布は一枚余分があるんだ。あと夏掛けと膝掛けがあるから、エアコンかけてりゃ平気だろ？」

末國の声が少し遠ざかる。けっこうこの飄々《ひょうひょう》とした雰囲気の声は好きだ。よく通ってしっかりしている上に、いつもどこか余裕があるから安心していられる。

その反面、つかみ所はない。いつも腹の内が見えないなと思うのは、末國のこんな話し方のせいかもしれない。

だが、仕事の時はもっと誠実そうな落ち着いた話し方をしているので、仕事になると何かスイッチが切り替わるのか、猫をかぶっているのか。

そのまま気持ちよく目を閉じていると、肩を揺さぶられた。

「高岸先生、寝るならベッドに行かないと」

声と共にぐいと身体を脇から抱えられる。体格のいい分、末國の力は強い。

「…もう少し」

ここにいたいと言ったつもりだったが、その言葉を先取りされる。

「もう寝てただろ？　これ以上、無理しない方がいいよ」

前みたいに二日酔いで明日も寝込まなきゃならなくなるよと言われ、さすがにあの失態と気分の悪さが頭に蘇《よみがえ》った高岸はおとなしく従う。

「トイレはいい？」

まるで子供でも扱うように、高岸を支えながら末國の声が尋ねてくる。

「いいです」

そんな恥ずかしいことを平然と尋ねてくるあたり、本当にお子様扱いだ。

いったい自分は何なのだろうなと、高岸はぼんやり思った。

どこまでも頼りなく半人前の…、少なくとも佐々木のように対等に渡り合える相手ではあるまい。

「水は？　気分悪かったら、スポーツ飲料か何か買ってきたげるけど。あと、胃薬とかはいいの？」

「大丈夫、多分…」

高岸の返事に、わかったと末國は応じる。

暗い寝室で末國はサイドテーブルの明かりを点《とも》し、高岸を促した。

この前も寝たベッドに横たえられると、ふわっと末國の匂いがする。普段はシトラス系か何かの香りをつけているが、多分、この布団や枕に残っているのは末國自身の匂いだ。

覚えのある匂いに、ふっとあの時のやりとりが蘇る。

「…オオカミ」

上から厚みのある羽布団をかけられた高岸は、この間の泥酔状態の切れ切れの記憶の中から急に浮かび上がってきた言葉を向けた。

「…何？」

これには末國も覚えがあるようで、さっきまでとは少し違った雰囲気を見せる。

「…オオカミ」

色々悔しくてもう一度なじってやると、男は目許をやわらげ、ふっと笑って見せた。

「なんだ、覚えてるんじゃない」

末國は長身をかがめ、大きな手で高岸の髪を上から軽く撫でる。

「…この卑怯者《ひきょう》」

「卑怯って？」

はぐらかすように尋ね返されると、酔いで頭がぼんやりしかけているせいもあって、何が卑怯なのかと高岸も答えられなくなる。

ただ、あのあとも色々うまく丸め込まれ、何だかんだとごまかされている状況、それに翻弄《ほんろう》されている自分と、諸々を考えるとなんだか妙に腹立たしい。

そして、落ち着かない。

「まぁ、確かにねぇ…」

黙り込んだ高岸をどう思ったのか、末國は腕を抱えて小さく笑った。

「全部思い出してよ、先生」

末國は高岸の上に身をかがめたまま、普段は出したこともないような甘くやさしい声でささやく。

「思い出したらさ、きっと…」

言いかけ、末國は少し考えるような表情を見せたあと、また笑った。

「まぁ、今日はいいか」

そう言うと、末國はちょっと普通ではしないようなソフトな動きで高岸の前髪に軽く指を絡め、そっと耳許までたどるように撫でた。

「おやすみ、先生。気分が悪くなったら、オオカミさんを呼びなよ」

ね…、とやはり子供にでも言い聞かせるようにやさしく言うと、末國は部屋を出ていった。

自分からオオカミを呼び入れるなんて、子ヤギや赤ずきんのママに怒られそうだなどと、とりとめもない思考の波に揺られながら末國の匂いの残ったあたたかな布団にくるまれていると、とろとろと心地いい眠気がやってくる。

隣の部屋から末國と佐々木の話し声が聞こえてきた。佐々木の深みのあるきれいな笑い声が響いて、楽しそうだなと思う。

その楽しげなやりとりに加われないのが、どこか切なくやりきれない。

つきあいの長さを考えると、それも仕方のないことだけど…、と高岸はそのままとろりと温もりに抱き込まれるように眠りに落ちた。

Ⅱ

末國にとって正月明けの仕事始めは、とても微妙な金曜からだった。

景気の悪さからなのか、正月も早々に働き始める最近の風潮なのか、週明けまでの連休とせず、金曜を仕事始めとしている企業は多い。

民事訴訟をもっぱらとする末國の事務所も、年明け早々は挨拶程度のものだが、一応は裁判所の予定に合わせて仕事始めとなった。

『末國先生、今日のランチのご予定は？』

昼食の少し前に、末國の携帯に高岸から短いメールが入る。

たいていは末國の方で高岸の行き先を勝手に押さえるので、高岸からランチの予定を聞かれるのは珍しい。

『高岸先生と一緒のところでいいよ』

末國の返した適当な返事に、しばらくおいて高岸からメールが返ってきた。

『洋食屋の三松《みまつ》はどうです？』

月曜日によく高岸が利用している洋食屋だった。スタンダードに美味い店だが、味のわりに並ぶほどに混んでいないのもいい。

『いいよ、あとでね』

末國は返し、昼休みに入ると同時に階下に降りた。

晦日《みそか》を前にした土曜の夜、高岸は末國の部屋で泊まっていった。ほどよく酒が入っていたこともあり、朝まで末國のベッドを占領して気持ちよく眠ったらしい。

夜更けすぎ、末國は適当にリビングのソファにひっくり返って寝たが、さすがに佐々木の前で高岸と同じベッドに寝るわけにもいかないので、これはやむをえない。この間とも違って、高岸もそれをおとなしく許すとも思えなかった。

翌朝は三人で近くのコーヒーショップにモーニングを食べに行き、そのまま別れたので、顔を合わせるのは年を越してからは初めてだ。

高岸から年賀状は来ていたが、これは無難な挨拶が添えられていただけなので、晦日前、場合によってはクリスマス前に投函されていたのかもしれない。

あのやりとりでランチの約束をしたと思ったのか、高岸はすでに末國のビルの階下のロビーで待っていた。

明けましておめでとうございます、と高岸はいつもより真面目な顔で律儀に頭を下げた。愛用の紺のコートが、細身の身体に今日もよく似合っている。

「おめでとうございます。今年もよろしく。実家楽しかった？」

「まぁ、いつもと一緒です。おせち食べて、初詣《はつもうで》行って」

実家に帰っていた高岸は、行儀よく答えながら裏通りを少し入った洋食屋へと向かう。

いつもより若干テンションが低いかなと思うが、普段、末國がつっつきまわすからあれこれと言い返してくるだけで、仕事モードの高岸はこんなものなのかもしれない。

店に入り、末國はビフカツ定食を、高岸はオムライスのセットを頼んだ。

「末國先生はお正月は？」

「うん、だらだらしてたよ。家の中整理して、適当に映画観《み》て。初詣はまだだけど、先生、近いうちにつきあってくれる？」

「…かまいませんけど、せめて松の内のほうがいいんじゃないですか？」

「じゃあ、そのへんで」

高岸の真面目な返しに、末國は適当なことを答える。松の内はこの週末までだが、もともとたいして信仰心もないので、いい加減なものだ。

注文の品が運ばれてきたところで、高岸は真顔となった。

「末國先生、ちょっとよろしいですか？」

「何？」

大好物であるデミグラソースのとろりとかかったビフカツにフォークを伸ばしながら、末國は笑う。

「この間思ったんですが、先生、やっぱり佐々木検事のことがお好きなんじゃないんですか?」

四角張った高岸の問いを、末國はへらりと返す。

「嫌いじゃないよ、むしろ好きだって言ってるじゃない」

「そういう意味で言ってるんじゃないです」

高岸はむっとした様子で眉を吊り上げる。

「じゃあ、どういう意味?」

末國がしゃあしゃあと尋ね返すと、高岸は少し周囲に気を配る様子を見せた。

食事時なのでそれなりに人も入っているが、隣席の男性四人組は賑《にぎ》やかにゴルフの話に興じている し、末國の後ろの席のOLらしき女性三人組も同僚の噂話で盛り上がっている。誰もこちらに注意を 向けていない。

「もう少し真面目な意味です。…この間の僕の同期の噂話ではないですけど、恋愛対象として」

生真面目に言いつのられ、末國はにやりと唇の端を吊り上げた。

「…ほう」

「ほう…って、何です?」

「もしかして、正月休み中ずっと、そのこと考えててくれたんだ?」

末國の指摘に、高岸は嫌そうに顔をしかめてみせる。

「僕もずっとそのことばかり考えているほど、暇じゃありませんでしたが」

なかなかどうして、邪険な返事だ。

末國のことが気になってたまりませんと言われているようで、本当に可愛い。

若干、屈折している自覚はあるが、そういうつれない態度が見たくて、たまに高岸を必要以上にからかってしまう。

「でも、仕事始め一番の日にわざわざランチで俺を誘って問いただしてくれるほどには、考えてくれたわけだ」

「本当にああ言えばこうと、口の減らない人ですね」

好物のオムライスを口に運びながら、むきっと高岸は負けず嫌いの一端を見せる。

「どうしてそう思うのって、聞いていい？」

答えをはぐらかして正面から突っ込むと、高岸はやや迷うような様子を見せた。

性的指向の絡むデリケートな問題でもあるので、どうも末國をむやみに傷つけるようなことはすまいと躊躇《ちゅうちょ》したようだ。

ゲイ歴三十四年、物心ついて以来、男にしかときめいたことがないので、別に今さらそんなことで傷つくほどに繊細な神経は持っていないが、高岸のほうで配慮するというならあえては止めない。

「…以前、伺った先生の好みのタイプというのが佐々木さんに重なるのと…、この間の親密さ…、先生の表情や受け答えなんかで…」

「ああ」

末國はにっこり笑いながらも、肯定とも否定ともつかない曖昧な声を出す。

委員長タイプというほどに目立つわけでもなく、真面目でひたむきな…と言ったのを、どうやら勝手に佐々木に当てはめてくれたらしい。

末國のカテゴリーの中では完全別枠だが、面白いので放っておく。

「佐々木のこと、どう思った?」

「…どうって、先生がおっしゃってたように非常に魅力的な方だなって…」

高岸はうっすらと頬を染めて口ごもる。ちょっと佐々木に魅了されたというのは癪《しゃく》でもあるが、そうしてはにかむ様子が、また可愛い。

先日の鍋で高岸は佐々木にいたく気に入られ、別れる間際には連絡先まで交換していた。

佐々木はあの通りの正義漢なので、気性が真面目で素直な高岸などは、確かに気に入るだろうなと思っていた。

そんなタイプの異なる美形の二人が一緒にいるところは、末國にとってはただただ眼福だった。

むろん、当人らには自覚はないだろうが、一般的にたとえれば女子校の色っぽいお姉様とウブな妹風で、どこか倒錯的で怪しげな雰囲気とでもいうのだろうか。口にすればどちらからも張り倒されそうなので言ってないが、二人のやりとりを見ているだけで非常に楽しい時間だった。

佐々木はあの通りの無自覚の人タラシだ。あの顔と声、独特のキャラクターとで、意図せずして周囲の男女を片っ端からたらしこむ。

特に男に関しては非常に濃密な友情を好む人間で、妻や恋人よりも平気で男の友情を取るタイプだ。末國をゲイだと言いふらしているらしき横浜のヤメ検の同期もノンケのはずだが、佐々木の前では平気で鼻の下を伸ばす。

末國にしてみれば、ああいうトチ狂ったノンケが一番質が悪い。無神経かつ陰湿で、執拗に陰口をたたいてはこちらの足を引っ張る。

しかもそれでいて、佐々木本人は筋金入りのノーマルで、男に尻を掘られるぐらいなら首を吊って死んでやるというぐらいの勢いと潔さのある男だ。理性が下半身を完全否定して、人格否定にまで至ることは目に見えている。

高岸とは別の意味で人の恋慕に無関心、かつ無頓着な男なので、最初は悪くないなと思った末國も佐々木を落とそうなどと考えるのは諦《あきら》めた。目の前にあんな美味そうな餌《えさ》をぶら下げられて、僕たち、永遠にお友達でいましょうね、というほどに清い人間ではない。

かといって佐々木の場合は、下手に手を出せば、俺が死ぬか、お前が死ぬかだという腹のくくり方をするような相手なので、迂闊《うかつ》にちょっかいもかけられない。

いくら普段は図太いとはいえ、自分の性癖を真っ向否定されて笑っていられるほど、末國だって無神経なわけではない。自分も可愛い。年齢的に何もかもを投げ打って恋にのめり込むほどウブでもなく、それなりに保身も知っている。

それだったらあの葡萄《ぶどう》は酸っぱいに違いないやと最初から投げるほどには、適度に経験も積んだし、スレてもいる。

佐々木がほぼ二年おきに各地を転任する検事だったのは、ある意味、末國にとってはありがたい話でもあった。忙しい日々の中でそうそう顔を合わせることもなければ、年に一度、顔を合わせるか合わせないかという同期にかまけている暇もない。

今のところは学生時代、修習時代、社会人生活すべてを含めた中で、佐々木は一等お気に入りの友人枠といったところだろうか。

佐々木が宗旨変えでもしてくれない限り、そこから動くことはない。

「だよね？　人気あるのもわかるだろ？」

いえ…、と末國のペースに巻き込まれかけたことを察してか、高岸はこほんとひとつ咳払いをする。

「僕が言いたいのはそういうことではなく」

「うん、何？」

にこやかに茶々を入れると、高岸は正面からまっすぐに末國を見据えた。

「好きだったら、ガツンとぶつかってみるのもひとつの手だと思います」

「…ガツンと？」

とっさに高岸が何を意図しているのかわからず、末國は珍しく素の顔となってまともに尋ね返した。

「ええ、男らしく」

高岸は真顔で頷く。

「…あぁ、ガツンとね」

要するに佐々木に玉砕覚悟でぶつかってみろと言っているのかと、ようやくここで得心できた末國は、気のない声を出す。

「場合によっては、およばずながら僕も力になりたいと思います」

およばずながら力になりたいというのは、佐々木との間を取り持つこともやぶさかではないということだろうかと、末國はしげしげと高岸の顔を眺める。

高岸の気負いは理解できたが、あいかわらず見当違いな方向に素っ惚けている。

これだから、この青年弁護士はラブリーで面白いのだと、気をつけていないと口許が笑いにゆるむ。

毎日つつき回していても飽きないし、むしろ楽しい。

末國はひょいと首をかしげた。

「…それってさ、先生自身は俺に対する偏見はないわけ？」

「偏見？」

しれっとカミングアウトしてやったわけだが、予想外の質問だったのか、高岸は少し目尻の上がった目を一瞬見開く。

「いえ」

高岸は首を横に振る。

首を動かすまでにほんのわずかの間《ま》があったが、自分を偽った、あるいは取り繕ったというほどの間ではなかった。いきなりのカミングアウトに対する自分の中の逡巡《しゅんじゅん》を、末國への好意で押さえきったというところか。

ノンケだが、佐々木とは違って、案外、ゲイへの生理的な拒否感もないのかもしれない。記憶が飛ぶほどに酔ってはいても、末國に触られて甘えながら応えたあたり、素質があるのか。

それとも、あのしちめんどくさそうな同期に末國の陰口を吹き込まれたあと、いくらか同性同士の関係について考える余地があったことも関係するのか。

「ふうん、じゃあ、俺を気持ち悪いとかそういうのは？」

「いえ、一応、僕は末國先生の味方のつもりなので」

高岸は大真面目に答える。

面白い、こう来たか…、と末國はゆるみそうになる顔を何とかこらえ、少し考える様子を見せる。

基本、根が善良なので、マイノリティだからと排斥するよりも、できるだけ理解したい、力になりたいと考えたのだろう。そういう気立てのよさを買われて、今の谷崎・三和事務所に採用されたのだとも言える。

根っこが斜に構えている末國にとっては、そういうあたりが与《くみ》しやすいと同時に愛しくもある。

自分にはない、その真っ正直さが時々キラキラしていてしょうがない。悪い人間に騙されてくれるなと思うと同時に、いつまでもその純粋さを失わないでほしいと思う。

だが、そんな願いと高岸のユニークな申し出とは別だ。

この間も最後はほんのり目許をピンク色に可愛く染めて、オオカミなどと末國に呼びかけてきたので、てっきり色々思い出したのかと嬉しくなったが、この見当違いな純朴さはなかなかに侮れない。

まだ気づかないかな、このニブチンと思いながら、末國はビフカツをもうひと切れ口に運んだ。

値段のわりには厚みのある赤味の肉が、デミグラソースと絡み合って美味い。ほんのりレアに仕上げてあるせいか、ぱさつきもなく柔らかい。

高岸は事務員の大橋に叱られたり凹まされたりすると、ストレス発散なのか決まってチェーン店のカツカレーかハイカロリーなトンカツ店に行ってしまうが、できればこの三松のビフカツやトンカツ、カツカレーにしておいてほしいものだ。

いくら高岸に合わせてランチを取っているとはいえ、あのギラギラと脂っこいばかりで旨味《うまみ》のない店のチョイスはいただけない。それとも、旨味よりも油脂と高カロリーを選択するぐらい、事務所内での高岸のストレスは溜まっているのか。

「佐々木はさぁ」

オムライスを口に運びながら、高岸はおとなしく口を開いた末國の言葉のつづきを待つ。

「なんかちょっと手の届かない相手っていうのかな…」

「そう。なんかさ、あいつって、ひと昔前の銀幕女優みたいな感じじゃない？　今の俳優や女優よりももっともっとスター性が高くて、とびきり綺麗でまったく手の届かない別世界の人間っていうのかな？」

「手が届かない？」

「昔の銀幕女優…、まぁ、確かに」

いわゆる昔の有名女優を色々思い浮かべてみたのか、高岸は少し考えたあとで頷く。

「ちょっと浮き世離れしてますよね。見た目、美形の俳優さんか何かが、検事役やってるような気がしました。話してみれば、すぐに本物の検事だってわかりますけど」

佐々木もある意味、歩く天然タラシの不思議ちゃんなので、高岸も末國の言わんとしたことはわかったようだった。

「そう、だから俺はあいつにあのままでいてほしいし、手も届かなくていいんだよ」

「でも、それって末國先生が…」

言い淀む高岸に、末國は強引に笑いきってみせる。

「別にそれで高岸先生が俺に隔てを置くとかじゃなきゃ、平気だし？」

「隔てを置くだなんて、そんな！」

真面目なニブチンはうっすら頬を上気させ、とんでもないと否定してみせる。

ますます末國の思うつぼだ。

「じゃあ、別にいいよ。気持ちだけで十分嬉しいし、先生がそうやって応援してくれるってわかっただけでもありがたいしね」

「いえ、そんなっ」

高岸の逃げる余地をまたひとつ塞いだ末國は、このあとどうやって自分に同情を寄せる高岸を攻略してしまおうかと考えながら、悠々と美味いビフカツとバターライスを口に運んだ。

昼食後、高岸と別れていったん事務所に戻った末國は、準レギュラーとなっているテレビ番組の収録のため、事務所を出た。

地下鉄の駅に向かおうとしたところ、見覚えのある相手が高岸のいるビルから出てくる。

「三和先生」

外面と愛想は適度にいい末國は、にこやかにその背に声を掛ける。

振り返ったのはまさに高岸のいる事務所を営む二人の弁護士のうちのひとり、三和弁護士だった。

シルバーフレームの眼鏡がいかにも切れ者らしい。今年確か四十四歳になるはずだが、年齢以上の貫禄《かんろく》を備えた中背のナイスミドルだ。

「ああ、末國先生」

新年おめでとうございますと、先に如才なく挨拶される。いかにも三和らしく、隙がない。

人格派で穏やかな谷崎を金銭面でがっつりサポートするという、有能な弁護士だった。

三和先生がいるからこそ、谷崎先生は背中を任せてあんな手間がかかるだけで金にもならない事件を手がけられるんだろうねというのは、末國の事務所を率いる岩瀬評だ。

ちなみに谷崎は、このいかにも能吏型で切れそうな三和とは違って、やさしい校長先生、あるいはおだやかなお父《とう》さんといった雰囲気だ。いつも地味な色味のスーツを身につけ、身を粉にして社会的弱者のために働いている。

ただ、岩瀬はけして谷崎を侮っているわけではなかった。むしろ、怖れに近い敬意を持っているらしい。

あの人はあんなふうに腹を立てたこともないおだやかそうな顔をしてるけどね、怒ると本当に三和先生なんかよりもはるかに怖くて容赦ないんだよとこぼしていた。

金にならない事件を多数扱っているが、それなりに勝ちを収め、あるいは調停でも有利な条件を得て、依頼も途切れないところをみると、確かに実力はあるのだろう。

法曹界でも、少しでも谷崎先生のお力になりたいと心酔する人間は少なくない。

かくいう末國も、強い信念を持って働き続ける谷崎自身のキャラは嫌いではない。

金儲けが隣の事務所のカワイ子ちゃんの次に好きな末國には、身銭を切っても他人のために働くという真似はとても出来ないが、尊敬はしている。

「おめでとうございます、今年もどうぞよろしくお願いします」

末國が横に並んで頭を下げると、三和も律儀に頭を下げる。

「いえ、こちらこそ。今年もよろしく。高岸先生にもずいぶん目をかけてもらってるみたいで、ありがとう」

「いえいえ、とんでもない。僕のほうこそ、高岸先生にはお世話になってますよ」

末國は歯切れよく答える。

「うちは若い同僚がいないからね、高岸先生には気詰まりなこともあるかなと思ってたんだ。高岸先生も末國先生とは歳の近い分、色々話しやすいんじゃないかな」

「そう言っていただけるとありがたいですけどね。悪いことを教えたって言われるんじゃなければ」

末國が明るく笑うと、それはないでしょうと三和も控えめに笑った。

谷崎もそうだが、末國のいる岩瀬総合法律事務所の能弁な面々と違って物静かな印象だ。言葉尻などは明瞭《めいりょう》だし、必要なことはきっちりと説明するが、よけいな無駄口をきかないというのだろうか。

以前、高岸がうちは基本的に事務所内は静かですよと言っていたのも、十分に頷ける。

末國の事務所は、常に誰かしらの話す声が聞こえてくる。地声が大きく、派手好き、自分好きでじっと黙っていられない弁護士が揃っているせいなのだろうが、高岸の事務所とは色々と対照的だ。

「今から仕事？」

「ええ、番組の収録がありまして…」

末國は微妙に言葉を濁す。

弁護士のメディア進出は、同業者内でも賛否両論だ。むしろ、あまり快く思わない者の方が多いかもしれない。

理由は色々で、担当した事件について弁護士としてのコメントを求められたというならとにかく、タレントのようにメディアに出て自分が関係しない事件についてまでぺらぺらと喋るのは本業から外れるというものから、単に若造のくせに調子に乗ってる、図に乗っていて目障りだというようなものまで、人によって違う。

当の末國自身も割り当てられるタレント性に辟易《へきえき》することもあるので、三和のようなコツコツと地道に仕事をこなす相手には、浮ついていると取られても仕方がないとは思っていた。

末國自身は三和には敬意を持っているし、高岸の上司でもあるので心証を悪くしたくない。

「それは年明け早々に大変だねぇ」

あまり揶揄する意図はないのか、内心を露骨に表に出すような大人げない真似はしないのか、三和はほうと声を上げる。

「三和先生もお出かけですか？」

「うん、ちょっと債権回収でね」

あらゆる仕事を手堅くこなし、谷崎・三和法律事務所の会計面を支えているという三和は、多少のダーティーさを含む仕事についても含みもなく頷く。

そして、その後、少し口許をゆるめた。

「そろそろ高岸先生にも、債権回収なんかを覚えてもらわないといけないね」

「あー…、場合によってはなかなか精神的にキツいこともありますけどね」

「まぁ、我々の仕事はきれい事ばかりじゃないから。仕事に慣れるまでは、そんな嫌な仕事をさせることもないだろうっていうのが谷崎先生の持論だから見合わせてたけど、高岸先生も最近は仕事に慣れてきたようだし、そういう修羅場も乗り越えて一人前だからね」

共に駅に向かいながら三和がさらりと言ってのけると、下手に凄《すご》まれるよりも迫力がある。

債権回収では場合によって、それこそ違法すれすれの債権回収業者やヤクザなどとも渉《わた》り合うだけに、胆力もあるのだろう。

末國はこういうあたりが三和の怖いところだと思うが、岩瀬は谷崎のほうがもっと怖いと言う。

いったい岩瀬先生は谷崎先生がどう怒った様子を見たんだろうかなどと、よけいなことを考えながら、末國は三和に頷いた。

それはそれで、知りたい。

「最初は驚きますよね。遺産相続ひとつとっても、こんなにドロドロするものかなって」

「高岸先生も離婚問題で、ずいぶん落ち込んでたしね」

女性の言い分を丸呑みして赤っ恥をかいたと、高岸が凹んでいた時のことを言っているらしい。

「依頼者が味方である自分に嘘をつくはずがないって、まぁ、普通は思うんでしょうね。高岸先生、真面目ですし」

末國は自分は未熟ですと肩を落としていた高岸を思いだし、微笑む。

一度や二度、そういう経験を積めば、必ずしも人間は本当のことを言うわけではないのだと身につまされる。なので顔から火が出るほどに恥ずかしい思いをしても、あれは高岸にとっての第一歩ともいえるのだろう。

末國の言葉に三和も頷く。

「今は騙される時期ですよ。依頼人を疑って騙されないことよりも、依頼人と一緒に泣いたり笑ったりできる方がいい」

金銭面でシビアに仕事をこなすといえども、徹底して谷崎のサポートにまわっている三和らしい言い分だなと、末國は思った。

君は華があるから、テレビ出演に向いているでしょうなどとメディア進出を取りつけてきた岩瀬とは百八十度違うが、谷崎や三和なりの高岸の育て方だろう。

高岸もまるで生まれたてのヒヨコのようでふわふわと危なっかしいが、だからこそ生き生きしていて目が離せない。

あれが自分と同じように計算高い人間だったら、末國もここまで惹かれていない。

「高岸先生、この間、私選弁護人の仕事を受けたそうですね」

「ああ、コンビニ強盗。まぁ、あれも勉強になるかな。酒には我々も気をつけないとね」

高岸に事件を割り振ったという当の三和は、ふっと笑ったあとに長身の末國を見上げてきた。

「そういえば末國先生、クリスマスイブに高岸先生とフレンチのディナーに行ったんでしょう？」

「ああ、まぁ。お互い寂しい独身者ですから。男二人で、少し寒い話ですよね」

意外によく知ってるな、高岸が喋ったかなどと思いながら、末國は調子よく答える。

ディナーの前に三和に褒めてもらったから気分がいいなどと高岸が喜んでいたので、あの時に報告したのかもしれない。

「…末國先生」

三和はふふっと眼鏡の奥の目を細めたあと、再び表情を戻して横顔で言った。

「まだ若いせいか、けっこう脇が甘いよね」

その独特の間と溜めに、一瞬、末國は言葉を失う。

間違いなくこの男は、末國がやたらと高岸に構いつける理由を知っている。

「…甘いですかね？」

弁護士生活も人生経験も長い分、自分よりはるかに練れているだろう相手にとっさに言い返すべき言葉が浮かばず、末國は言葉を濁す。

「僕から見ればね」

半蔵門線《はんぞうもん》への階段を共に下りながら、三和はまた小さく笑った。

「…未熟者ですみません」

「誰でも最初は未熟ですよ」

ＩＣカードを改札のタッチパネルにかざしながら、三和は横顔で語る。

「はぁ」

持ち前の毒気を抜かれた末國は、改札を入ったところで思わず足を止めてしまう。

「どうしたもんでしょうね？」

「どうしたもこうしたも、狩りをする時には逃げ道を作っちゃダメですよ。狩りそのものを楽しんでるならとにかくね」

楽しいは楽しいし、そんなに追い詰めすぎるのもまずいかと思ってのことだが、三和の言い分はいちいち身につまされる。

「あんまりうかうかしていると、横からかっさらわれるよ。美味しい獲物は、誰にとっても美味しいんだから」

確かに普通に男女の観点から見ても、独身で真面目な若手弁護士である高岸などは、娘を持つ親にとっては諸手を挙げて歓迎したい優良株だろう。

この人、まだ独身だったたっけ…、高岸に対する言動を見る限り、高岸本人にはからきし興味がないというのはわかる、わかるが…、と末國は頭のうちで色々思いを巡らす。

かといって、先生、もしかしてお仲間ですかと声をかけたところで、この海千山千のシビアな弁護士は本当のことなど絶対に認めるまいと思った。

単に理解があるだけでお仲間でないのかもしれないし、末國の意図を察してからかってみたにしても、多少の反撃ぐらい余裕で封じ込めるだけの自信はあってのことだろう。

「まぁ、本気でやるなら、君もそろそろ腹をくくったらどうなの？」

じゃあ、僕、電車が来たみたいだからと、三和は片手をあげ足早にホームへと降りてゆく。

「ホント、おっかない先生だな…」

末國は小さく呟き、三和の背中を見送った。

Ⅲ

「あ、いたいた。高岸先生、今日の日替わり、どっちにしたの？」

高岸が定食屋で昼食を取っていると、いつものように朗らかな声がかたわらへやってくる。

食事に出る直前に、今、四ツ谷の駅に着いたから店の席取っといてよ、などとメールを送ってきた末國だ。高岸がどこに行こうと、とにかく一緒に昼食を取るつもりらしい。

「鶏《とり》の照り焼きです」

高岸は目の前の席に腰を下ろす男に、今朝から思うように出ない声で答える。

「何、その声、ひでぇなぁ。ガビガビ」

「なんか事務所の空調がイマイチで、すごく乾燥してるせいか喉の調子が…」

言いかけると、末國が片手を挙げて制する。

「あ、声、無理に出さなくていいよ。その分、俺が喋っとくから」

そうはさせるものかと、高岸は眉を跳ね上げる。

「それが信用ならないっていうんですよ」

「ああ、元気そうじゃない。声だけか、調子悪いの」

勝手なことを言い、末國は店員に日替わりのもう片方のメニューの白身魚の南蛮漬《なんばんづ》けを頼む。

何のために高岸のチョイスを聞いたのかよくわからないが、おしゃべりな人間というのは基本的にこういうものかもしれない。

「南蛮漬け少しあげるからさ、その鶏の照り焼き少し食べさせてよ」

何だ、どっちか迷ったから、端《はな》から人のものを食べるつもりでもう一方を選んだのかと、高岸は食い意地のはった男を呆れ見た。

「照り焼きは取っていただいてけっこうです。南蛮漬けはちょっと喉に沁みそうで…」

ああ、なるほど…、と末國は頷く。

「あれだよ、チョーク舐めるときれいな声になるんだよ」

「チョーク？　チョークってあの？」

黒板に使う白墨かと高岸は眉を寄せる。

「食べられるんですか？　あれ、石灰じゃないです？　逆に身体に悪そうな…」

「七匹の子ヤギで狼《おおかみ》が食べてたろ？　がらがらした声が、やさしいママみたいなきれいな声になるんだよ。試してみたら？」

運ばれてきた定食に箸《はし》を伸ばしながらしゃあしゃあと言ってのける男を、高岸は睨む。

「…僕はねぇ、喉が痛いんですよ。出来れば声を出したくないんですよ。今、喉がガビガビで死ぬような思いで話してるんですよ。その声を先生への非難と抗議のために使いたくないんですよ」

「あ、けっこう喋れるじゃない？」

遠慮なく高岸の照り焼きを熱々の白ご飯の上に取りながら、まだからかう。

「もう話したくないですね」

高岸はそっぽをむく。末國と一緒にいると、喉が治る気がしない。

「そういえばさ、三和先生って独身？」

「あ、そうですね。すごくよく出来た人なのに」

高岸は首をひねる。

「なんか理由あるの？」

「自分ではそんなつもりはないけど、理想が高過ぎるって言われるらしいですよ。そんな理由だから、あまり公言できなくてね…って、前に自分で笑ってらっしゃいましたけど」

ふうん…、と末國は神妙な顔で頷く。

あまり真面目な顔など見たことがないので、これはこれで落ち着かない。

「三和先生が何か？」

「いや。谷崎先生は結婚してただろ？」

「ええ、おしどり夫婦ですよ」

「何、それ。岩瀬先生へのあてこすり？　ああ見えて先生、家では借りて来た猫のようにおとなしいらしいよ。もっとも、出張だ、ゴルフだって理由つけてあんまり家に帰ってないらしいから、猫になってる暇もないだろうけど」

外では女優も顔負けの華やかな愛人を持つくせに、家では恐妻家で夫人に頭が上がらないという岩瀬を引き合いに出し、末國はにんまり笑う。

あいかわらずテレビの前での爽やかさが嘘のようにブラックだ。

「僕はノーコメントで」

喉も痛いですしと高岸が豚汁に口をつけると、末國は小さく笑って食事を続けた。

「そうだ、先生、これね」

食事をすませて会計をした後、末國は店を出ながら声をかけてきた。

コートのポケットから、可愛く苺《いちご》がプリンティングされたキャンディを二粒ほど取り出し、手のひらの上に載せてくれる。

なつかしいイチゴミルクの飴《あめ》だった。

「どうしたんですか？」

「この間、銀行でもらったんだよね。商工銀行。自由にお取りくださいって書いてあったからさ」

「へぇ」

こんなものに手を出すとは意外だと思いながらも、高岸はありがたく頂戴する。

「ミルクの飴って、喉にいいらしいよ」

「ありがとうございます。助かります」

礼を言って、高岸はピンク色の可愛らしい三角のキャンディを口に入れる。

確かに喉の痛みがかなりやわらぐ。

「午後に備えてのど飴買っていこうかな」

「俺、よく効くの教えてあげるよ。あと、特別にはちみつレモンのホットを奢ってあげてもいい」

「公園とかで飲むんですか？　外寒いですよ」

物好きな…と言うと、平気平気と末國はうそぶく。

「うちのビルのロビーがあるじゃない」

確かに広いロビーにソファーと観葉植物などが並べられていて、暖房も効いている。要するに、まだ今しばらくおしゃべりにつきあえということらしい。

将来的に末國と一緒に事務所をやることになれば、さぞかし賑やかなのだろうなと考えかけ、高岸ははっと我に返る。

いそ弁である以上、いずれは高岸も独立を視野に入れなければならないが、これではまったく末國の思うつぼだ。

別にどうしてもひとりで事務所を構えたいというわけではないし、末國と一緒にやるのが嫌だというわけでもない。しかし、一度一緒にやって気があわないからやめましたなどといっては、自分が対外的な信用をなくす。

結局、重い判断なので、今すぐには決めがたいということだが、末國自身は年齢的にそろそろ独立を考えはじめても不思議はない。

このまま岩瀬法律事務所で続けていってもいいだろうが、社会的には十分に名前が売れているし、もともと独り立ちして事務所を構えたいという夢があったのなら、色んなことを考え出しても不思議ではないだろう。

「あれ、何か急ぎで戻り？」

口をつぐんだ高岸をどう思ったのか、末國が尋ねてくる。

「いえ、別に。午後からはあの例のコンビニ強盗の件で、強盗先のコンビニエンスストアに行って、詫《わ》び入れて弁済してきます」

要するに謝罪して、盗み取ったもの——今回はパンとプリンという少額商品だが、それについてお金を払って返すということだ。

しごくまっとうで当たり前のことだが、この相手側に謝罪して被害商品について弁済したという事実は、あとあと裁判で大きな意味合いを持つ。

なので必ず、裁判の始まる前にやっておかなければならないことだった。

「大変だねぇ。それにしても進展早いね」

「ご本人の希望でして…。結局、会社のほうに知れて居づらくなったようで、依願退職となったので…」

「ああ、クビ？」

言葉を濁した高岸に対し、末國は斟酌《しんしゃく》せずに尋ねてくる。はっきりものを言う男だ。

確かに事実上は諭旨《ゆし》免職、形式上だけ依願退職という形だろう。

「まぁ、それに近いかと…。でも、本人的には退職金がいくらか出るだけでもいいという話で」

「一応、退職推奨は不法行為であると、会社に対して申し立てもできるけど？」

「これ以上、ことを荒立てたくないそうです。実際にそれをやると、次の就職先はないでしょうし…」

「確かに。けっこう常識的な人なんだ？」

波風は立つが、そういう手もあるよと、ついで程度に尋ねてみただけらしい。

そういったあたり、普段の言動はかなりワイルドだが、やはり末國も常識派だ。

「お酒が入ってないと、わりにおとなしい方のようです」

「あー、真面目な人ほど、酒飲むと変わるのかなぁ。高岸先生もはっちゃけてたもんね」

へらりと毒を出す男を、高岸は溜息交じりに見る。

そのあたりは臑《すね》に疵《きず》持つ身なので、高岸も何とも言いがたい。

黙り込んだ高岸をどう思ったのか、末國はその大きな手で髪をぽんぽんと撫でてきた。

多弁なくせに、こんな時にはこうして黙って髪に触れるだけの末國のフォローは、言葉にされない分だけやさしい。

あの晦日の晩、こうして髪を撫でてくれたことを覚えている。

思い出せと言ったのは末國だが、今は思い出すとよけいに混乱しそうな気がしている。

仕事に関して先延ばしするのは嫌いなので、さっさと片づけてしまう派だが、身のまわりの感情的なことに関しては、昔からすぐに結論を出すのは得意ではない。学生時代につきあっていた彼女にも、別れる間際にそんなところが煮えきらないと言われた。

それにあれだけべろべろに酔っていると、断片的なことは思い出せても、すべてが筋道立てては思い出せない。

高岸が今回の事件の被告にいささか同情的なのは、それもある。

怪我人が出なかったからよかったようなものの、どうしてそんな馬鹿な真似を…と思う一方で、自分も同じくらいにとんでもないことをしたのは間違いなくて、一概に責めることが出来なくなる。

出来れば一緒になって反省し、少しでもこれから先のことを考えていきたい、力になりたいと思ってしまう。

事務所に近いコンビニで、末國は言葉通りに高岸のためにはちみつ入りのホットドリンクを手に取り、ついでに喉にいいという飴を教えてくれた。

レジで支払いを終えた高岸は、雑誌コーナーで本を開いている末國のもとに行こうとして、ふと女性週刊誌の表紙に目を留めた。

『原口《はらぐち》あかねのハートを射止めた若手イケメン弁護士』などと表紙に大きく出ている。

メディアに若手イケメン弁護士などと言われて真っ先に浮かぶのは、すぐそこで温泉の特集誌を眺めている末國しかない。

思わず手に取ると、案の定、見開きのページでパネルの前で受け答えしている末國の写真と、最近、清純派として名の売れてきた二十代半ばの女優の笑顔の写真が並べて掲載されている。

ついこの間も、末國の出ている番組に番宣か何かでゲスト出演していたはずの女優だ。

「…先生、ここに記事になってますけど」

高岸が開いて見せた記事に、末國は長身を折るようにして記事を覗き込んだあと、鼻先で笑った。

「何、これ。すごい抽象的。『関係者によると、弁護士Sさんとあかねの仲が噂されるようになったのは、去年の末ぐらいから』関係者って誰だよ？　俺、去年は原口あかねに会ってないし」

ほう…、などと言って末國は楽しげにページを繰る。

「本当にこんなガセ書き散らして許されるんだから、芸能記者って楽な商売だな」

いかにも末國らしい毒を吐いたあと、さっさと週刊誌を棚に戻してしまう。

そういえば前にも今一番人気ともいえる女優の山県ちとせにも、まったく興味のなさそうなことを言っていた。

確かにゲイだというなら興味もないだろうが…、と高岸は末國を窺《うかが》い見る。

前は結婚を考えていた相手に振られて以来、恋愛に及び腰などと言っていたが、あれは佐々木のことだったのだろう。

今になってみれば、そうやって嘘をつかざるをえなかった末國の気持ちもわからないではない。最初にゲイなのだと打ち明けられていたら、やはり高岸にも構えるところはあったと思う。

「のど飴買った？」

「ええ、先生お勧めのを」

答える高岸の背中を軽く押して店を出ながら、末國は笑った。

「でもやっぱりのど飴は対症療法だからさ、早めに医者に行ったほうがいいよ、先生」

これまで周りにいなかったのであまり深く考えたことはなかったが、もっと生理的に受けつけないかと思っていた。

最初に末國の人となりを知ってしまったので、今さら気持ち悪いとも思えない。

高岸自身、末國自身を嫌っているわけではないからだ。

佐々木にアタックするなら応援すると言ってみたが、なんとなくはぐらかされた。今はその気がないのか、自分のことは自分でケリをつけたいのか…。

悪い人じゃないのにな…、と高岸ははちみつレモン入りの袋を手に、ビルのロビーに入ってゆく末國の広い背中を追った。

何だ、これは…、と末國は何の気なしに見上げた地下鉄の吊り広告に眉をひそめた。

よく政治家や芸能人が、あることないことを書かれている週刊誌の吊り広告だが、『弁護士末國有智の華麗なる女性関係』などと、実名入りで大見出しになっている。

その下にあるのは、末國の顔写真だ。ご丁寧に、やや顎を斜《はす》にあげた、かなり傲慢《ごうまん》そうな表情を浮かべているところを選んである。

けして褒められた性格でないことは重々承知しているので、番組中は極力ネガティブな表情を作らないように気をつけている。

しかし長い収録の中には、意図せずして疲れた表情となっている時や、瞬間的に眉をひそめていることもあるだろう。最近は動画の中から静止画を拾い上げることなど簡単にできるから、これもそんな写真かも知れない。

その向こうの写真週刊誌の吊り広告はもっとひどい。『山県ちとせ妊娠五ヶ月。父親は弁護士の末國有智!?』などとなっている。

女王蜂《じょおうばち》みたいにくびれた腰をしていたが、あれで妊娠五ヶ月とはわからないものだなと末國は思った。もっとも妊娠した女性の体型変化など、実際に身のまわりにいないのでわからない。

だが、ベッドインしたこともない相手の子供を身ごもれるとは、あの女も器用なものだ。

長身の末國が吊り広告を睨んでいることに気づいたのか、目の前のシートに座って末國を見上げた若い男が吊り広告と末國を見比べたあと、スマートフォンを取りだした。

スピーカーは手で押さえていたが、かすかなシャッター音がして、何の承諾もなく勝手に写真が撮られたことがわかる。

通勤時はほぼ毎日同じ電車に乗っているせいか、都内だとそれなりに有名人馴れしているのか、あまり末國をじろじろと見る相手はいないが、この男は違うらしい。

無許可で写真を撮るなど肖像権の侵害で、ずいぶん非礼な相手だが、これまでにも何度か黙って写真を撮る相手がいなかったわけではない。今の画像を消せと言うと必要以上に騒ぎになりそうなので、不愉快だが黙っておく。

一応、記事の内容はあとでチェックしておくつもりだが、場合によっては岩瀬と相談して、何らかの手を打っていかなければならない。

メディアに露出がある以上、ゴシップとして取り上げられることもあるだろうかと思っていたが、なんだか急にきな臭い風向きになってきたなと、末國は色の濃い目を細めた。


末國の子供を妊娠したという記事が出た女優の山県ちとせが、緊急記者会見を開いたのは、その三日後のことだった。

末國はそれを、いつものディレクターから岩瀬のもとにかかってきた電話で知った。

岩瀬の指示で、事務所内でも名誉毀損《きそん》事件などに通じた麻山《あさやま》という弁護士と共に、何社かの民放で行われるその記者会見を、すべて録画しながら会議室で見る。

会見は事務所の関係者と山県ちとせ本人が横に並び、妊娠が五ヶ月目に入ったことを発表するという形で始まった。

妊娠中だというのに、女優は身体のラインも露《あらわ》なタイトなワンピースで微笑んでいる。

ゲイの末國にとっては、もともと好み以前の問題なので、顔やスタイルに関しては特に感想はない。

ただ、一番最初に質問に立ち、質問の前に「この度はおめでとうございます」と言ってのけた女性記者には、その経験値に感心した。こういう有名人の妊娠発表に対する、場数の踏み方が違うのだろう。

もうお腹の中の子供の男女の性別はわかったのかという女性記者の質問に、女優はにこやかな笑みを浮かべながら、多分、女の子じゃないかという話ですと答えてみせる。

その質問を皮切りに、矢継ぎ早に今後の仕事スケジュールや復帰予定、そして世間的にも最大の関心事である子供の父親についての質問が向けられる。

『芸能関係ではなく、普通に仕事をされている方です』

画面の中で微笑む女に、腕組みをして麻山と共にその番組を見ていた末國は、おいおいと胸中で呟く。

まるで相手は末國であるという噂を肯定しているようなものだ。

『弁護士の末國有智先生ではないかという話もありますが』

男性記者の声に、いかにも意味深な笑みを浮かべながら、女は首を横に振る。

『相手の方にご迷惑がかかるので、今はお話しできません』

俺にかかる迷惑はどうでもいいのか、この牝狐《めぎつね》と、末國は画面の中のしたたかな女を睨《ね》めつける。

「こんなこと言ってるけど、どう？」

会議室の椅子に腰かけ、くだらない茶番を眺めていた麻山が末國に同情的な目を向けてくる。

「どうもこうも、二人きりで食事もしたことがないのに、どうやったら僕の子供を妊娠できるんだか。まったく事実無根なので、きっちり否定してほしいですね」

末國は番組で何度か収録が重なったあと、食事でもどうかと誘ってきた女を思い出す。

一対一の飲みや食事に末國が応じないとわかると、女は今度、ディレクターを交えて食事に…、などと言ってきたので、ディレクターの顔を立てるために複数名で何度か食事には行った。

ただ、それだけだ。

渡された個人の携帯番号が入った名刺も、そのまま放ってある。

「こういういくらでも解釈しようのある言い方は、週刊誌よりも質が悪いね」

「あわよくば…、って思ってるんじゃない？　見た目以上にしたたかなタマだねぇ」

共に番組を見ていた岩瀬が、麻山と共にやれやれと顎を撫でる。

会議室の外でやたらと電話が鳴っているが、おそらくこれを受けて報道各社から電話が入っているのか。

こういう不特定多数からかかってくる電話は、仕事にも大きく差し支えるので非常に困る。事務の女の子には面倒をかけて申し訳ないな、と末國は思った。

岩瀬は早々にビルの警備会社に電話をして、業務の妨げになるという理由で、記者が建物内に入り込まないように手配を取ってくれた。

これに関しては、ビルには過去に何度か記者が押しかけてくるような事態になった大手法律事務所がいくつも入っているので、警備会社のほうも手慣れたものだ。たちまち数人の警備員を、玄関と裏口に手配してくれるという。

ただ、しばらくは建物を出入りするたび、そしてマンションの行き帰りに煩わしい思いをするだろう。このゴタゴタが収まるまでは、高岸ともおちおち食事に行けない。

今回のゴシップ記事で、色々迷惑はこうむっているが、一番嫌なのはそれかもしれない。

「ちょっと手間だけど、とにかく徹底抗戦ということで火の元を断った方がいいだろうね」

麻山は同時に放映された他局の録画分にも、早送りでざっと目を通しながら言った。

「まずは最初に記事を載せた週刊新風《しんぷう》、それから写真週刊誌のＴＲＵＴＨ《トゥルース》、この二つを相手取って出版差し止めの申し立てをした上で、名誉毀損と謝罪記事掲載要求の訴訟を起こしましょう」

麻山は末國と岩瀬の顔を交互に眺める。

「スポーツ紙は相手にしているときりがないので、まずこの大きな二つでしょうね。テレビ関係は、一度、こちら側できっちりと否定会見みたいなものは開いておいた方が、後々困らないね。どっちにしろ末國先生、まったく身に覚えはないでしょう？」

麻山の問いに、末國は肩をすくめる。

「ないですね」

「じゃあ、今度生まれる子供のＤＮＡ鑑定に応じてもいいぐらいは言っておこうか。そうじゃないと、きりがない」

麻山は手許のメモにひとつひとつ書き込みながら説明する。

その時、会議室の内線が鳴った。

一番歳下の末國が、受話器を取る。

お話し中に失礼します…、と断ったのは、高岸が気に入っている事務員の鹿島あやだった。

高岸が気に入っているという点さえ除けば、気も利くし、控えめなのに仕事もできるしで、末國自身は別に個人的に悪い感情を持ってはいない。

『末國先生に、弁護士の伊勢川《いせかわ》さんという方からお電話が入ってますけど』

「伊勢川…、聞いたことがないな」

誰、と岩瀬が目顔で尋ねてくるのに、末國は首をひねる。

「ごめん、鹿島さん、こっちに電話まわしてくれる？」

応諾のあと、電話が切り替わる。

「はい、お電話代わりました、末國ですが」

『初めてお電話差し上げます。わたくし、伊勢川ともうしまして、東京アクトエージェンシーという芸能プロダクションの顧問弁護士を務めております』

いやにねっとりした話し方をする男は、慇懃《いんぎん》無礼に名乗った。

「芸能プロダクション？」

『ええ、女優の山県ちとせの所属しております事務所です』

ああ、めんどくさそうなのが出てきやがった…、と末國は岩瀬と麻山に目配《めくば》せし、手近なペンを取る。

「伊勢川先生、申し訳ありませんが、僕、今から出かけなければならないので、よければ後ほど、こちらから電話をさせて頂きます。よろしければ、電話番号をお伺いできますか？」

末國は受話器を顎に挟むと、電話の会話内容録音ボタンを押す。録音した上で、相手が言う電話番号をメモし、復唱して確認したあと電話を切った。

出かける予定があるといったものの、別に本当に出る予定はない。単に相手について、先に少し調べてみようと思っただけだ。

「伊勢川法律事務所ねぇ…、聞いたことあるな」

末國が電話を切ると、麻山がちょっと待って…、としばらく部屋を出ていき、ファイルを手に戻ってきた。

「東京アクトエージェンシーの後ろに、けっこう大きなフロント企業があるね。伊勢川弁護士は、多分、それ絡みの弁護士だよ。今、下の事務所の梁瀬《やなせ》先生に聞いた」

梁瀬弁護士は、二階下のフロアに入っている法律事務所の弁護士だった。フロント企業に詳しい。また、対マスコミ術に一見識あって、顔も広く、各方面への押しも利く。

一般的にフロント企業とは、暴力団の息のかかった企業、あるいは暴力団の勢力を背景に活動を行っている企業を指す。

いわば裏世界に息づく暴力団の表向きの顔、指定暴力団が暴対法の適用を免れるために設立した企業で、役員などにも形式的に暴力団を脱退した元組員が多い。

「またブラックな弁護士が出てきたな。ほんと、弁護士もピンキリだからねぇ」

岩瀬が溜息をつく。

岩瀬などはなかなかの商業主義だが、お金にならない仕事は積極的にやらないというだけで、別に倫理に反したことはやらない。

高岸の事務所の谷崎弁護士は、お金にならないことがわかっていても、親身になって依頼者のために働こうとする。

世の中の大多数の弁護士は、そういうものだ。弁護士同士のつきあいもある。法律についての多少の解釈の差はあれど、人並みの倫理観と常識、感性を持ち合わせた人間が大半だ。

しかし、やはり時々、法律知識を利用してグレーゾーンに手を染める弁護士や、逆に積極的に他者に難癖をつけ、ヤクザまがいに金を巻き上げようとする人間もいる。人権派などと称して、差別問題を大仰に言い立てては、国から金を引き出して多額のキックバックを受ける弁護士もいる。

要するに弁護士も人の子で、悪い人間も世の中と同じ割合でいるというだけだが、なまじ法律知識があるだけに質が悪い。

いかに法律の専門家とはいえ、どの弁護士も自分の専門分野の問題でなければ素人だ。その専門以外のジャンルでつつき回されると、対応にもそれなりに手間を取られる。

場合によっては、同業者で専門知識を備えた人間にヘルプを頼まなければならない。

そして、ヘルプを頼む相手が同じ専門家で、時間を割いてもらう以上、そこにはやはり金銭面での謝礼が発生する。

「何を企んでるのか知らないけど、その伊勢川弁護士のペースで運ばれないように、こっちに出向いてもらおうか。末國先生、心配はいらないからね。うちも全面的にサポートするし、マスコミ関係に詳しい階下の梁瀬先生の応援も頼めるでしょう？」

岩瀬に尋ねられ、麻山は頷く。

「ああ、それはもちろん。一連の話の流れは説明しておいたので」

ただ、やはりそうなると、ただでお願いしますというわけにはいかない。

「了解、助かります」

岩瀬は頷くと、末國に向かってにっこり笑った。

「一応、梁瀬先生や今回の申し立てに関する経費諸々は、いったんうちの事務所で立て替えて、あとで税理士さんに頼んで、末國先生の経費でつけておいてもらうようにしようか。今年は先生、かなり経費面で赤になるかもしれないけど、こういうのは最初が肝心だからね」

いかにも金銭面に関しては遣り手で、ちょっぴりダーティーな岩瀬らしい話だと、末國は愛想笑いを浮かべる。

「あー…、やっぱり。…ですよね？」

「それはやっぱり、ねぇ？　お金のことはきっちりしておいた方がいいでしょう」

大手法律事務所の専門弁護士を動かすとなると、費用も半端ないので、ここは岩瀬も譲らない。

「こういうスキャンダル関係っていうのは解決に必要以上にお金がかかっちゃうからさ、身に覚えがなくても、今後は今まで以上に身ぎれいでいてね」

岩瀬は妙に明るい笑い声を上げると、ぽんぽんと末國の肩を叩いた。

V

金曜の夜の七時過ぎ、事務所を出ようとしたところで高岸の携帯が鳴った。

ここしばらく、ランチには姿を見せなかった末國だった。ちょっとややこしい連中も出てきたし、ご飯とか一緒に行くと、色々巻き込んで迷惑をかけちゃうからさ…、と少し前に言われていた。

末國の言葉通り、一、二週間ほどは隣の事務所の前には記者がたむろしていた。末國と一緒に歩けば、間違いなくその連中につけまわされていたことだろう。

今は末國も最初にゴシップ記事を流した出版社を相手取り、名誉毀損で損害賠償を求める訴訟を行ったりと、色々慌ただしいはずだ。

ただ、根も葉もないことを書き立てる相手に対しては徹底抗戦も辞さないという、末國側のかなりシビアな対応が効を奏したのか、申し立てがされてからは大半の記者が姿を消した。

末國自身はまったく事実無根のひどい話だと言っていたので、実際に訴訟沙汰となると出版社サイドに不利となるのか。

しかし、末國も仕事以外のことでこんな面倒に巻き込まれるのは、本当に災難だろう。

『先生、今どこ？』

いつものように押しの強い声が尋ねてくる。

「どこって事務所ですけど」

『仕事、終わった？』

「そろそろ事務所出るところです」

末國が仕事中にメールを寄越《よこ》すことはあっても、私用で携帯に電話をかけてくることはないので珍しい。

『じゃあ、車だし、家まで送ったげるよ』

「車？」

『うん、社用車ね。どうせ明日休みだし、月曜までに適当に返しとくから』

いい加減な返事だ。事務所から尋ねられても、末國のことならこんな返事でうまく切り抜けるのだろうか。

そもそも家までなら、車で送られる方が時間がかかってしまう気がするが…と思いながら、高岸は末國の言った十五分後にビルの下に降りた。

すでに車はビルの前にハザードを出して止まっていた。夜目にもはっきりとわかる光沢のある紺のレクサスの上級ラインで、いかにも派手好きな岩瀬が選びそうな社用車だ。

同時に小市民の高岸などは、運転中にこすったらどうなることやらとビビってしまう。

この駐車場代の半端ない場所で、事務所用の車を持っている岩瀬法律事務所の経済力に呆れる。羨《うらや》ましいには羨ましいが、本当に事務所に車が必要なのかという疑問もある。

だが実際に末國が使っているというのなら、それなりに活用されているのだろう。

「飯食った？」

ウィンドウを下ろして、中から末國が尋ねてくる。

「いえ、これからですけど」

「じゃあ、横浜まで中華食べに行く？」

「横浜？　今からですか？」

また何を言っているのかと、高岸は呆れ顔となる。家まで車で送るというのが、そもそも不思議な話だった。

「この車で？　それこそ、社用車なのにいいんですか？」

「えー、家まで車取りに行くのが面倒なんだよ。まだたまに、どっかの記者が来たりするしさ。このまま乗ってっちゃっていいよ、最後にガソリン入れて返しとくから」

まぁ、こういう男だ。

「美味しいところ、連れてったげるから」

連れていってくれるというのなら、たまには贅沢《ぜいたく》するのもいいかと思う。

第一、クリスマスの夜に奢ってもらって、借りが出来たままだ。高岸もさすがにあれだけのものを奢ってもらって平気なわけではない。年末のフグ代も酒代も、すべて末國が持っている。

「じゃあ、俺、奢りますよ」

点心ぐらいなら…、と助手席に乗り込みながら言うと、末國は横顔で笑う。

「へぇ、ラッキー。フカヒレ食べ放題」

「…フカヒレって、いくらぐらいするんです？」

そもそも食べ放題でしこたま食べるようなものでもないと思うが、フカヒレ姿煮などはたまにテレビ番組ではびっくりするような値段で出てたりする。

「さぁ、いくらぐらいするのかな？」

ふふん、と男が横顔で笑うのに、シートベルトを装着する高岸は不安になる。

「…ほどほどにお願いします」

「いいよ」

一応へりくだってみせるとライトな答えが返るが、そんな末國との間にはずいぶん物理的に距離がある。

「…僕、レクサスに乗ったのは初めてなんですけど、これ、ずいぶん遠くありません？」

高岸は運転席と助手席の間にどっしり鎮座するセンターコンソールとアームレストを眺めた。

普通の車の二倍近くあるのではないかと思える、嵩《かさ》の張ったコンソールだ。コンソールばかりでなく、シートからダッシュボードから、とにかくやたらと大きくて、まるで要塞《ようさい》の中に入ったようだ。

「色々デカいんだよね。この距離感がこの車の高級感なんだって、ディーラーが言ってたらしいよ」

「ああ、すみませんね、庶民感覚で」

やさぐれる高岸に、末國はインターを抜けながら笑った。

「俺とかはいいけどさ、小柄な女の人にはあんまり向いてない車だよね」

言いながら末國はオーディオを少し操作する。ジャズだなとは思っていたが、音量を上げて聞こえてきたのは少しウェットな女性ボーカルだ。

「…ずいぶんムーディーなチョイスですね」

夜に首都高で横浜まで行こうというのに、よりによってこんな音楽をチョイスするかと高岸は口ごもる。

折しも横には東京タワーだ。男二人のドライブで、こんな艶《つや》っぽい曲を流されても困る。困るというより、末國と一緒だとこの演出過多が気恥ずかしくていたたまれない。

「これ以外はクラシックのバロックと、落語の二択。落語にする？　ＦＭとかもありだけど、さっきからどの局もＤＪがくっちゃべってるばかりで、音楽やってないんだよ」

「ジャズでけっこうです」

何でそこまで極端な選択なのだと、高岸はこぼす。

「悪いね、ジャズは岩瀬先生、バロック音楽は小野田《おのだ》先生、落語は麻山先生の趣味でさ。俺は音楽をデータに落とし込んで持ち歩くほどマメじゃないし」

岩瀬総合法律事務所の上から年長者三人だ。それは確かに誰も異を唱えられまい。

それにしても末國の事務所の弁護士達は、クセがありすぎる。よくそんな個性的な面々が揃ってい
て、喧嘩《けんか》にならないものだ。バイタリティーが外へ向かっているからいいのだろうか。なんだかんだ
と、全員をとりまとめている岩瀬の手腕なのだろうか。

「この時間なら、三、四十分でつくかな？　先生、疲れてたら寝ててもいいよ」

「いや、別に大丈夫です」

「週末に引っ張り出しちゃったからさ、疲れてない？」

強引に家まで送ってあげる、ついでに横浜の美味い中華を食べに行こうよなどと高速に乗っておい
て何を言っているのかと、高岸は呆れる。

「そんなに僕のこと、甘やかさなくてもいいですよ？　運転、いつも先生にしてもらってるし、代わ
りましょうか？」

「先生、ペーパードライバーだって言ってなかった？」

「限りなくそれに近いですね」

そもそも実家に車がなく、運転の機会がなかった。運転に関しては、あまりセンスもない。

「俺も自分の命が惜しいからさ」

憎たらしい末國の言い分に、高岸も片頬で笑う。

「人間、一度や二度は死ぬ思いをした方が、人にやさしくなれるんじゃないですか？」

「もう、これ以上ないぐらいにやさしくしてるじゃない？　わかんないかなぁ？」

「何か下心でもあるんじゃないかと、ドキドキしますね」

売り言葉に買い言葉だったが、末國は声を上げて笑った。

「まぁねぇ」

何が楽しいのか、しばらく喉奥でクックッ笑っている。

「なんでいきなり横浜なんですか？」

「バカな女の妊娠狂言に振り回されるし、仕事でも面白くないことがあったから」

確かにあれは災難だろう。記者に追いかけまわされて、おちおち出歩くこともままならず、仕事にも差し支えている。

あのあと、準レギュラーで受けている番組がひとつ放映されたのを録画して見たが、いつもにこやかな末國には珍しく笑顔が少なかった。出演者にさんざんにからかわれた挙げ句、口の悪い女性タレントに「無責任男」とまで言われた時には、言い返しこそしなかったものの、かなりムッとした顔となっていた。

末國のほうで報道否定の会見を開いたが、逆にそれを無責任な居直りと捉《とら》えた人間も多いようだ。あれではストレスも溜まるだろうし、気晴らしにちょっと遠出したいという気持ちもわかる。

「むしゃくしゃするし、美味しいものでも食べに行こうかと思って」

末國は珍しく、やや不機嫌そうな声を出す。

やはりストレス続きで、根っこのところはあまり機嫌もよくないのだろう。

末國は食べ物にうるさいと言っていた佐々木の言葉を思い出す。

「…仕事でも面白くないことが？」

「うん、成田《なりた》の少し先の土地持ちの相続の話だったんだけどさー、お前みたいに無責任に女孕《はら》ませるような男に、したり顔で出てきて欲しくないって相手方のオヤジがギャアギャアとさー…、そいつのせいで肝心の相続の話が始まんねーし」

よほど嫌なことを言われたのか、末國は整った横顔を苦々しく歪めて口をつぐむ。

「それは…、お疲れ様でした」

「だいたい、あの女の後ろには、ヤクザのフロント企業が手ぐすね引いて待ってるんだっつーの。今度もしたり顔で面倒なこと言ってきてやがるし、手を握ったこともない女のために、なんで俺があんな大枚はらって、専門の弁護士先生頼まなきゃいけないんだか」

「ヤクザ？」

穏やかならぬ言葉に、高岸はギョッとする。

「そう、現代版の美人局《つつもたせ》みたいなもんだね。高岸先生も、テレビとかの業界に呼ばれる時には用心しなよ。医者とか弁護士とか実業家とかに、綺麗な女優やアイドルあてがっといて、あとで手打ち金みたいな形で尻の毛までむしろうとする連中が、あの業界はうようよいんのよ。寄ってくる女にホイホイと乗っかっちゃったりしたら、そりゃ、もう、稼ぎを根こそぎふんだくられるようなことになんの」

「…怖《こわ》」

これはゴルフ場の風呂《ふろ》場で山県ちとせの話を振ってみても、末國がまったく興味のなさそうな顔をしていたはずだと、今さらながらに高岸は震え上がる。

ゲイだということは差し引いても、そんなブラックな構図が後ろに見えているなら、確かに末國がまったく知らん顔をしているはずだ。

素人にはわからないが、迂闊には手を出してはいけない業界なのだろう。

「でも先生の顔見たら、嫌なことなんてどうでもよくなったや」

美味いものをがっつり食べてやるんだと、末國はスピードを上げる。

さすがの高級車で、車は振動も危なげもなく高速をすべるように走った。


「美味しかった！　本当に何を食べても美味しい店ってあるんですね」

高岸は店を出た後、コインパーキングへと戻りながら明るい声を上げた。

本当にフカヒレ姿煮の出てくる高級店に連れていかれたらどうしようかと思っていたが、点心の美味しい、ほどよい値段の店でよかった。

学生の時以来、久しぶりに飲んだ杏露酒《シンルチュウ》の甘みもくどくなくて、ほろ酔い気分が心地いい。一応、年末のお礼ということで、高岸が会計をすませることができた。

ゆっくりと時間をかけて食事を取っている間に夜の冷え込みは進んだらしく、息が白く曇る。

「あー、この冷え方…、雪くるかもな」

空を見上げた末國は、首許に引っかけていたマフラーをとり、ふわりと高岸にかけてくる。

「…何です？」

「巻いときなよ、先生、やわだから。喉冷やすと風邪ひくよ」

「僕は先生と違って、色々とデリケートに出来てるんです」

末國の指摘通り、この間まで喉を痛めていたのは確かだ。憎まれ口を返しながらも、高岸はおとなしくマフラーを巻かれておく。

なんだかずいぶん肌触りのいい高価そうなマフラーで、もしかしてカシミアとかだろうかと、高岸は襟許を撫でた。いつか高給取りといわれるほどの収入が得られるようになれば、手にしてみたいような上質のマフラーだ。

いい男で高給取りで、こんなマフラーをふわりとかけてくれるくせに、こんな週末に高岸などと中華を食べにくるなど、なんだか色々ともったいない。

「せっかく横浜まで来たんだったら、夜景でも見に行く？」

パーキングの精算をすませた高岸が車に乗り込むと、末國が尋ねてくる。

「夜景ですか？　先生と？」

「そうそう、別にいいだろ？　帰り道だし」

軽い声を返し、末國はさっさと車を出してしまう。

この男の酔狂はいつものことなので、もう勝手にしろと高岸は助手席に身を埋めた。

横浜で夜景などと言われたら、てっきり横浜ベイブリッジなどを一望できる有名箇所へ行くのかと思ったが、末國が車を走らせたのは横浜の東方面の倉庫が建ち並ぶ一角だった。

一年でもっとも冷えこむ時期のせいか人影もほとんどなく、横には貨物線の架線があるような、まさに埠頭《ふとう》といったしんと静かな場所だった。

ただ、ランドマークタワーなどのポートサイド一帯が架線越しに見え、その夜景は倉庫などの屋根越しのせいか、どこか懐かしく色味も温かだ。

暖房の効いた暗い車内で、しばらく高岸はその眺めに見入る。

絵に描いたような華やかな横浜の夜景よりも、こっちのほうが素敵だと思ったが、末國の手前、素直には口に出せない。

「…何でこんなスポット知ってるんです？」

「知ってたわけじゃないよ。俺、こんなところに普段は用もないし。さっき、ナビ操作してたの見てたろ？　…あ、何年か前に二、三度、仕事で来たことはあるかな」

昼間に電車で…、などと言いかけた末國は、横目に見る高岸をどう思ったのか、大人げなく顎を反らせた。

「さっき、みっともなくネットで調べたんだよ、横浜の穴場の夜景スポット。文句ある？」

「文句あるって、そんな…」

文句以前に、何でもそれなりに心得ていそうな末國が、わざわざ穴場の夜景スポットを探している様子が想像もつかない。

「それとも、ここ、もう知ってた？」

「いえ、残念ながらなかなかご縁がないもので」

知ってるくせに、と高岸は皮肉っぽい言葉を返す。

大学時代に彼女と遠出した横浜デートは、ごくごく定番にみなとみらいの夜景を見て終わった。

電車を降りてかなりの距離を歩かなければならないような、こんな人気のないスポットなど知るはずもない。

「おい、赤ずきん」

そう言った後に、末國は打ち消した。

「いや、そんな可愛くはないか」

高岸はムッと眉を寄せてしまう。

「可愛くなくてけっこう。女の子じゃありませんし」

「そういうところ、本当に可愛げがないっていうんだよ」

「すみませんねぇ、こういうキャラクターで」

言い返すと末國は顎をわずかに上げて目を眇《すが》め、ぐっと腕を伸ばしてきた。

暗いせいもあり、体格のいい男なので普段はないような迫力に、高岸は反射的に身をすくめてしまう。

「別に何もしやしないよ」

ぴっと伸ばした指先で高岸の前髪を弾《はじ》くと、末國はこれまで聞いたことがないぐらいに低く不機嫌な声を出した。

「何かするってなんです？」

「おいコラ、ニブチン。鈍いのも、本当にたいがいにしとけよ。いつまで気のつかない振りしてるんだよ。俺のこと、オオカミって言ったのは高岸先生だろ？」

「いつの話ですか？　記憶にございませんが」

記憶にはあるが、二度とも赤面するほどに甘ったるく恥ずかしい記憶なので、高岸はあえて素っ気ない声で突っぱねる。

思い出してよ、先生…、と末國にいまだかつてないほど、やさしく甘やかすような声でそっとささやかれたが、思い出したが最後、末國の前で悶絶《もんぜつ》死する羽目になりそうなので、いまだに腹を決められずにいる。

私生活においては、込み入った感情的なことを色々考えるのは、とにかく不得手だ。ここのところは末國のまわりがごたついて会えずにいたが、会っている時の今のこの関係はずいぶん心地いい。

メンタル面で要領がいいとは言いがたい高岸が、下手にここから何かを踏み出して、取り返しのつかないことになるのも嫌だった。

「あっ、そう？　そういう可愛くないこと言うわけ？」

「いい歳した男をつかまえて、可愛いだとか可愛くないだとか言う感覚がわかりませんね」

言い返すと、末國は聞いたこともないような長く深い溜息と共に、二人のシートの間のやたらと大きなハンドレストに肘を突き、頭を抱えるような様子を見せた。

「頑固なことは知ってるけど、どうしてそうまで頑《かたく》なになるかなぁ」

溜息交じりに言われると、少し良心が咎《とが》めるような気がして、高岸はむっつりと黙り込んだまま襟許を所在なく弄《いじ》る。

さっき末國が貸してくれたマフラーは、膝の上に置いたままだ。

「本当はクリスマスの晩、何があったか、覚えてるんだろ？　なのに、なんで俺がこんな手間暇かけて悠長に口説いてると思ってるんだよ」

「…口説く？」

「ああ、口説いてるんだよ！」

末國はやや苛立《いらだ》ったように言い捨てる。

からかわれたことは多々あれど、末國にこんな乱暴な言い方はされたことはなくて、高岸はその勢いに目を見開いて押し黙った。

やにわにその襟許のネクタイをつかまれ、強い力でぐいと引かれる。

彫りの深い顔立ちが近づいたかと思うと、あっという間に唇が重なる。高岸はしばらく目を見開いて、されるがままになっていた。

大きくて引きしまった唇は、見た目よりも温かくて柔らかい。そして、この唇の重ね方が記憶にある。

「目ぐらい閉じてくれないかな、センセイ」

目を見開いたまま間近な整った顔を見ていると、伏せられていた目が開き、不機嫌そうな声がぶっきらぼうに告げる。

なんで僕が…などという言葉はとっさに出てこず、高岸は言われるままに目を閉ざしてしまう。

ここで目を伏せればキスに合意したも同じだと思ったが、逆らえなかった。

目を伏せると乱暴につかまれていたネクタイは放され、逆に大きな手がさっきよりはやさしい仕種で後頭部にまわされる。

唇が重なった時、反射的に唇を開いてしまったのは高岸だった。

その隙間へこじいれるように、厚みのある柔らかな舌が割り入ってくる。

口腔を舌先で食むようにされると、デザートの杏仁豆腐の香りがほんのりする。

甘くて、高岸の好きな味だったことが思い出され、ふわりと身体が柔らかく溶けたような気がした。

首を傾け、半ば夢中でそのキスに応える。

コーヒーがほしいよなぁなどとさっき末國が呟いていたから、あそこで缶コーヒーなど飲んでいれば、このキスはコーヒーの味だったのだろうかと、ぼうっとやわらかく霞《かす》んだ頭の奥で考える。

こんな息が苦しくなるほどのキスなど、誰ともしたことがない。

キスに圧《お》され、わずかに身じろいだ時、頭を抱えよせていた末國の腕からわずかに力が抜けた。

唇が離れ、開いた唇の端から唾液《だえき》が細く糸を引く。それをぐいと指先で拭《ぬぐ》われた。

目を獰猛《どうもう》な形に細めた末國が、しばらく眉を寄せて高岸の顔を眺めてくる。

「家まで送るよ」

さっきのキスが嘘のような素っ気ない声で言うと、末國は不機嫌そうに車を発進させた。

そのあまりにつれない態度に、やたらと幅のあるコンソールが邪魔だと思ったとは、とても言えなかった。

四章

I

通りに面した窓のガラスが結露している。

高岸が喉を痛めたあと、谷崎がわざわざ事務所に購入してくれた加湿器のせいだろう。新しい建物なら結露もないのかもしれないが、古い建物なので加湿するとてきめんに窓が曇る。

「冬特有の眺めだね」

外から帰ってきた谷崎が、首許に巻いたマフラーを取りながら微笑んだ。

「お疲れ様です」

高岸が机から立ち上がって声をかけると、谷崎は柔和な印象の目をさらに細めた。

「はい、ただいま帰りました」

「お疲れ様です、外は冷えますでしょう？」

大橋が熱いお茶を用意するために立ち上がりながら尋ねた。

「この冬一番の寒さだってねぇ」

五十六歳になる谷崎は、代替わりした地権者から立ち退《の》きを迫られている老人施設の相談を受けて帰ってきたところだった。

とはいえ、立ち退き要求そのものには応ぜざるを得ないので、立ち退きにかかる費用の相応分を受け取り、地元の役所とも相談して移転先を探すことになるという。

谷崎が人望を集めるのは、何でもかんでもごねて無理を通すのではなく、こうして立場の弱い側に親身でありながらも、ちゃんと法的根拠に則《のっと》って相手や周囲と交渉し、できる限りの最善策を得ようと働くところだろう。

「こういう曇った窓を見ると、暖かい部屋に帰ってきたっていう感じがするね」

「ええ、冬場独特の感じですよね」

下半分が結露に曇った線入りガラスを振り返り、高岸は頷く。人間的に穏やかな谷崎の視線は、いつもやさしくて好きだ。

「どう？　あれから喉は痛めてない？」

「おかげさまで、大丈夫です」

「そうか、ちょっと元気がないように思えたから、心配してたんだ」

思いもしなかった谷崎の指摘に、高岸は内心驚く。

「…それはご心配をおかけしてすみません。本当に加湿器で楽になるものですね」

「弁護士が声を出せないと、仕事に差し支えるからね。高岸先生も大事にして下さい」

大橋が運んできたお茶を礼を言って受け取りながら、谷崎は気遣ってくれる。

男には多い話だが、谷崎もあまりお腹が丈夫でないとかで、秋口からはスーツの下に夫人手編みの毛糸のベストを着ている。

ちょっと野暮《やぼ》ったくなるのはわかってるんだけど、スリーピースのベストじゃ冷えてダメなんだよ、と谷崎は以前に照れていた。

「僕の田舎じゃ、昔は小学校のストーブにヤカンがかかってて、こうして窓が結露してたものだけどね。だから、こうして窓の曇るのを見ると、懐かしい気持ちにもなるよ。最近はヤカンなんかは危ないから、教室には置いてないのかな？」

そう言うと、谷崎は湯呑みを手に部屋に入ってゆく。

谷崎にお茶を出し終えた大橋が、年季の入ったペーパーカッターを使って、事務作業スペースで不要になった用紙を裁断している。

なかなかアナログな方法だが、そうして裁断した用紙を裏紙にメモとして再利用する。最初は驚いたが、今は基本的な経費節減の一環だと思っている。

「大橋さん、手伝いましょうか？」

声を掛けると、大橋はちょっと驚いたような顔を見せたあと、まんざらでもなさそうな顔となった。

「じゃあ、お願いしていいですか？　郵便局に行ってきたいんで」

「大丈夫です、今、手が空いてますんで。僕が郵便局でもかまいませんが」

「いえ、それは私の仕事ですから」

大橋は頷くと、ロッカーへコートを取りに向かう。

高岸は大橋に代わり、ペーパーカッターを使い始めた。

しばらく無言で作業をしていると、マナーモードにしてある携帯がシャツの胸ポケットで震えた。

岩瀬からだった。

『こんにちは、岩瀬です。色々落ち着いてきたし、明日の「レディス・アフタヌーン」に末國先生が出てるから、またチェックしてね！』

いつものようにマメに末國のテレビ出演を知らせてくれる陽気なメールに、高岸は口許をわずかにゆるめかける。

しかし、結局、中途半端に口許が引きつった不完全な笑いにしかならなかった。

横浜で夜景を見た週末以来、まだ末國とは顔を合わせてない。

あれからちょうど明日で一週間だ。

結局、あの日、末國はほとんど喋らないまま、高岸をマンションの下まで送った。

同じ車の中で話もしないことなどこれまでになかったが、表情をすっかり消してしまった末國は、軽々しく話しかけられるような雰囲気ではなかった。

ひと言、二言声をかけてみたが、素っ気ない声が返ってきただけだった。

末國が機嫌が悪い時は、あんなふうになるのだろうか。

これまでいつも何だかんだと言いながらも楽しくやってきたので、そもそも不機嫌になること自体を知らなかった。人を喰ったような言動で高岸をからかってばかりだが、真面目な話の時にはちゃんと聞いてくれたし、アドバイスもくれた。

原因はおそらく高岸の前後の突っ張った態度なのだろうが、だったらあの最後のキスは何だったのか。

それとも、本当に最後にするつもりのキスだったのか…、と高岸は目を伏せる。

高岸を口説いていたと言っていた。

だが、高岸自身は交際経験は女性と、しかもごく平均的なつきあいしかしたことがない。

それにてっきり、まだ佐々木に気があるのだとばかり思っていたから、自分が口説かれているのだとは考えてもみなかった。

末國にニブチンと言われたのは、そのことだろう。女性ともそんなにつきあった経験もないので、確かに男女の機微には疎いかもしれない。

しかも、男女ではなく男男関係ともなれば、はっきりゲイだと公言した相手に会うこと自体、末國が初めてだったので、自分が口説かれていたことなど想定外だった。

しかし、今になって色々と考えてみれば、それなりに思いあたるところがないわけでもない。

最初から親切で面倒もよく見てくれたし、よく部屋にも遊びに来た。ものを積み上げるなとブツブツ言いながらも、本を整理してくれたこともある。

はっきり口説かれているのだという自覚はなかったが、甘やかされているという感覚は常にあった。

それでいて腹の内は読めない…、それを自分は頼りないのだろうかと、寂しく思ったこともあったが、確かに末國にすればあからさまに下心を出して迫ることも出来なかったのだろう。

末國を嫌いではない。キスされた今でも、それに対する拒否感もない。それどころか、あのクリスマスの朝だって、真っ青にはなったが、鳥肌が立つほど嫌で許せなかったというわけでもない。展開が想定外過ぎて、そこから先をうまく考えられなかっただけだ。

そもそも嫌だったら、その後に年末はデートしようよなどと言われて、のこのこ鍋を作りに行ったりもしない。

あそこで会った佐々木は計算違いだったが…。佐々木にまだ気があるのだと思って、二人の楽しげな会話を聞いて、何ともいえない複雑な思いになったのも確かだ。

先週は家の前まで送られたあと、短い挨拶と共に車を降りた。

何か色々と混乱して、その後は末國とは顔を合わせていない。

今週は仕事の打ち合わせや、裁判所に出てたことも関係している。普段は足を運ばない店を新規開拓してみたせいもある。それでも、いつものように横で何だかんだとからかってくる男がいないというのは、味気ないものだった。

しかし末國からも、今日はどこで昼飯食ってるのという、確認メールも来なかった。

仕事が立て込んでランチで顔を合わせない時には、たいてい夜に飲みに行ったりしていたが、今週はその誘いもなかった。

どうやら事務所が違うと、隣のビルに勤めていても、平気で一週間は顔を合わせないものらしい。

いきなり横浜まで連れ出して、普段は行ったこともないという夜景を見に行くから、また末國の気まぐれかと思った。

でも末國にしてみれば、高岸の反応を確認して、あれで終わりにするつもりだったのかもしれない。

むしろ、互いにいい歳の大人なのだから、普通に男女の仲に置きかえてみても、あそこで芳しい反応が得られなかったらおしまいにするのが普通かもしれない。

高岸だったら、あれで振られたのだと覚悟して、それ以上のアプローチなどとてもできない。

携帯を胸ポケットに戻すと、高岸は黙々と作業を続けた。

Ⅱ

末國と顔を合わせなくなって二週間目の夜、高岸は自分のマンションで夕飯を取りがてら、テレビを見るともなく眺めていた。

そして、あまりのつまらなさにリモコンを操作して、録画したままになっていた末國出演の番組へと切り替えた。

色々と自分の中でうまく整理できないため、すでに二番組ほどを録画はしたものの、見ずに置いている。前は何だかんだと、録って二、三日中には番組に目を通していたので、この間からは末國との関係について、それだけ考えることも多かったのだろう。

案の定、妊娠騒動が下火になったとはいえ、司会者がぎりぎりのところで末國をからかうという、見ていてちょっと嫌な流れだった。

この間に引き続き、いつもは愛想のよい末國にも笑顔が少ない。

あまり表情がないと、目鼻立ちがはっきりしている分、末國は軽いノリの番組内で異彩を放っている。

持ち前の知性が、チャラケた馬鹿騒ぎの中で浮いて見えるというのだろうか。

その分、高岸は末國の肩を持ちたくなる。

『末國先生、しつもーん』

はいはいはーい、と手を上げたのは、いつも番組を混ぜっ返している女性タレントだった。

芸能界の上下関係にまったく頓着しない切り返しや毒舌がウリらしいが、高岸はあまり好きではない。こんな風に始終他人に毒を向ける人間を、平然と番組内に配している感覚がわからない。

『名誉毀損って、報道内容が事実だったとしても訴えることができるんですよねぇ？』

案の定、見ていて、ちょっとイラッとするような毒だった。空気を読まない風を装っているが、このタイミングだと意図的なものだろう。

それとも以前に末國が言ったとおり、これも脚本通りなのだろうか。

『一般的に人間の持つ品性や信用を社会的に貶《おとし》める行為を、名誉毀損っていうんです』

ひな壇で肩越しに相手を振り返り、答える末國の表情はやはりその女性タレントに対する軽蔑《けいべつ》がありありと浮かんでいる。

『ええ、怖ーい。弁護士さんって、すぐに訴訟だ何だって言うからぁ。けっこう素人にとっては怖いっていうか、それってある意味、メディアに対しての脅迫にはならないんですかぁ？』

『そりゃ、訴えるぞって言って、訴えなければ脅迫ですよ。でも、実際に僕は事実無根なことをあんなふうに書き立てられて、つきあってもいない女性の父親にされるところだった。それが僕にとって、どれだけ不名誉なことか、あなたにわかるんですか？』

末國は吐き捨てるように言った。

あ、これ、脚本なんかじゃない…、とっさに高岸は思った。

『複数の女性に手を出した挙げ句、お腹の子供の責任も取らない無責任男って、一方的にメディアに書き立てられるんですよ。あなた、自分が同じ立場だったら、それは暴力であり、脅威であると感じるでしょう？　本当に僕が父親だったなら、それは単に事実の記載ですし、報道の自由もあるでしょう。でも、まったくの嘘を事実のように書き立てるのは、ペンを使った暴力でしょう？』

一瞬、高岸はその勢いに息を吞んでいた。

『いや、暴力って言ってもぉ…』

混ぜっ返そうと口を開いた相手に、末國はそれ以上言わせない。

『そうなった以上、僕も自分の身は自分で守らなければならないんです。それに対抗するには、記事はまったくの虚偽であり、名誉毀損であると訴えるしか、普通の人間には手段がないんですよ』

末國の言い分に、相手の女性タレントも作り笑いを浮かべているが、末國の勢いに押されて口を挟めないのは確かだった。

一瞬の間のあと口を開いたのは、末國の隣に座った関西出身の年輩の落語家だった。

番組ではレギュラー枠で、普段から末國とは仲がいいように見える男だ。

『いやぁ、今、末國先生の本気を見せてもらいましたけど、ほんまに弁護士さんって怒らはったら怖いですねぇ』

飄々とした調子で怖い怖いと混ぜっ返し、手にした扇子でちょんちょんと横から脇をつかれ、真顔だった末國も破顔する。

『別にそうでもないですよ』

『せやけど、あれでっせ、先生。ここであれは俺の子やー、間違いないって言うといたら、あのええ女がぽーんと先生のものになるんでっせ。代わりにあの子の父親は、僕やー…いうて、今から僕が名乗り上げときましょか？』

『師匠にはかなわないですよ』

好きにしてくださいと笑う末國に、くだんの女性タレントがさらにまた後ろから声をかけた。

『末國先生、ここは男らしく俺の子だ、文句あるかーって言ったらどうですかぁ？』

末國と同時に、落語家はそのタレントを呆れたように振り返る。

『君、まだ言うか？　僕のフォローをなんやと思てんねん。ちょっとは空気読みや』

末國もそれに言葉を連ねる。

『あなたもきちんと成人していてテレビに出ている以上、ご自分の発言に責任持ってくださいよ。それが大人っていうもんでしょう？』

『えー、でも、私、タレント枠だしぃ、どっちかっていうとひな壇芸人？　場を盛り上げていくらの世界に生きてるんでぇ、そんな真顔で怒られてもぉー』

この状況でまだへらへらとした笑いを浮かべながら言い返す女性タレントに、怒りや呆れというよりも、この女《ひと》は普通とはどこか感性がずれているのだろうかという、うそ寒い思いになる。

常識が通用しないというのを通り越えて、悪意が無邪気の皮を被《かぶ》って座っているような怖さすら感じた。

少なくとも、高岸は末國に目の前でこんな風に激怒されたら、言葉をなくしてしまう。

『じゃあ僕は、あなたとお話しすることは、ひとつもありません』

ぴしゃんと末國に決めつけられ、慌てて司会者がＣＭに入るからと言い添え、ＣＭ画面へと切り替わった。

Ⅲ

高岸の携帯に、佐々木から突然にメールが入ってきたのは、録画していた番組内で末國が手厳しい意見を吐くのを見てから数日後の夜九時過ぎ、ちょうど自分の部屋で風呂から上がってきたところだった。

『ご無沙汰してます、旭川地検の佐々木です。突然ですが、明日に急遽《きゅうきょ》上京を予定しています。高岸先生、夜はお時間ありますか？』

いったいどういった理由かは知らないが、確かにずいぶん急な話だと高岸は思った。

地方の検事がいきなり上京してくる理由など思い浮かばないが、仕事なのだろうか。結婚式ならこんな平日に上京してこないだろうし、葬儀なら呑気に高岸に声をかけている暇はないだろう。

そう思って、メールを返す。

『お仕事ですか？　僕は明日は空いています。末國先生もご一緒ですか？』

それだったら、末國のほうから佐々木が来るから一緒に飲もうよという話になるだろうが…、と一応尋ねてみた。

ただ、最近は末國とも微妙な関係なので、以前とは違って気さくに声をかけられることもないかもしれない。

前は末國から声をかけられないかもしれないないなどと、情けない思いにとらわれたことはなかったのに…、と高岸は我知らず溜息をつく。

この間、あの番組を見た後、末國に録画したのを見たけれど大丈夫かとメールを送ってみた。

ただ、高岸が番組を撮りためていて見るまでにブランクのあった分、間が開いている。

しかも直接顔を合わせて尋ねたわけでもなく、あの時に番組を見て末國を案じた胸中の複雑さを、短いメールでうまく表現できたとも思わなかった。

案の定、末國からは別に大丈夫だよという、どうとも取りようのない…、ある意味とりつくしまもないメッセージが返ってきてしまい、それ以上は食い下がって聞けなくなった。

依然、末國は昼食時にも姿を現さない。高岸の方から食事や飲みに誘っていいのかどうかも、今となっては計りかねる。人間、疎遠となる時には、簡単に疎遠になってしまうからだ。

二十年間、事務所を一緒にやってきた弁護士同士も、一度の口論で袂《たもと》を分かつことがあるという。ましてや、高岸と末國は、会ってからまだ一年にも満たない。

謝った方がいいのかな、あれから俺なりに考えてみたんですけど…、と今になって言えるのかな…、そんなことをつらつら考えていると、また佐々木からメールが返ってくる。

『仕事です。応援で東京の特捜部にあさってから着任予定です。せっかくだからカニを提げていこうかと思ったのですが、末國は今九州出張らしいので、高岸先生に渡しておいてくれと言われました』

何だ、九州に行っていることも知らなかった、と高岸は自分で思っていた以上に気落ちした。

隣のビルとはいえ、今までは互いの出張のスケジュールまで知り尽くしていることを疑問に思ったこともなかった。

考えてみれば、同じビルでもフロアの違う事務所の弁護士とは、ほとんど顔を合わすこともないのだから、あそこまで末國と親しくしていたのは不思議でもある。

不思議だなどと無神経に言えば、また自分を口説いていたという末國の機嫌を損ねてしまうのだろうが、高岸自身はずっと一緒にいることが楽しかったのだから寂しい。思えば末國が親しくしてくれたおかげで、歳の近い同僚がいないにもかかわらず、高岸はあまり不自由を感じたことがなかった。

司法修習時代の同期の中には、年配の先生と事務の女性しかいない事務所で、気さくに世間話も出来ずに気詰まりだとこぼす人間もいる。

そう考えてみると、末國は親しい同僚、仲のいい先輩といった感覚で、最初から隔ても感じなかった。大橋にやり込められても愚痴を聞いてくれたし、あっけらかんとしたもの言いなので尾も引かない。

高岸がさほど凹まなかったのは、多分、末國が横で笑っていてくれたからだ。ちょっと意地の悪い、そして過分に口の悪いところもあったが、陰険さはなかった。むしろ、ああやって色々構いつけてくれるから、親しみやすかったところもある。

佐々木からの返事に、高岸はまたひとつ、気づかないうちに溜息をついたあと、待ち合わせ場所と時間を指定した。

カニなど受け取ってしまえば、また末國と顔を合わさざるを得なくなる。

それとも、末國はひとりでカニを食えという意味で、高岸に渡しておけと言ったのだろうか。

もしカニをひとりで食べなければならないとしたら、それこそ寂しさと虚しさで喉がつかえそうだ。

いくら旬のカニでも、とても美味しいとは思えそうにない。

ひとりにしたら、先生、寂しくて死んじゃうからね、などと末國にからかわれたことを思い出し、ちょっと胸の奥が痛くなった。


七時過ぎ、佐々木は指定の書店に姿を現した。

佐々木は約束通り、手にけっこうがっちりとしたスチロールのケースを提げている。

これは多分、間違いなく一人分じゃないだろうなと高岸はこっそり胸の内で溜息をついた。

「何を食べましょうね？」

一応、よさそうな店をいくつかピックアップした高岸が尋ねると、佐々木は悪戯っぽく笑った。

「味音痴と定評がありますが、こんな俺でもせっかく上京してきたのだから、ちょっとはしゃれたものが食べたいですね」

そんな表情を浮かべていても崩れることのない美形ぶりには、同性ながらちょっと見惚《みほ》れてしまう。

別に旭川の店が不味《まず》いわけではないらしいが、そもそも美味しい店が開いている時間に帰れることがほとんどないらしい。

本当に検事なんかにならなくてよかったと胸を撫で下ろす自分の小物ぶりが情けない。

「じゃあ、イタリアンとかはどうですか？　わりに安くて美味しいところみたいです。ワインもけっこう揃ってるとか」

「ワインですか？　明日も仕事なんで、今日は自重しますよ」

佐々木は明るく笑う。

二人して店に入ると、末國と一緒にいる時以上に周囲の視線を感じる。むろん、目の前のやたら容姿の整った男が、人目を引いているのだとわかる。

末國も体格がよく、目鼻立ちが整っているが、持ち前の華やかな快闊《かいかつ》さが、賑やかな店だとすんなり馴染む。佐々木の場合は逆に、その非の打ち所のない端整さが周囲に溶け込まずに浮いて見える。

そのせいか、女性ばかりでなく同性であっても、佐々木にはちょっと目を止める。あまり顔と行儀がよすぎるのも考え物だなと、見た目にはその他大勢枠に入る高岸は思った。

しかし佐々木自身はそんな視線に慣れているのか、けろりとしたものだ。

これだけ見目がよくて検事などをやっていれば、妙なストーカーなども引き寄せてしまうのではないかと、他人事ながら心配になる。

そう言うと、佐々木はワイングラスを傾けながら目を細める。

「検事なんて、恨まれていくらの商売ですからね。ストーカーだったら可愛いものです」

「そんなにひどいんですか？」

「そりゃあ、もう。悪戯電話や不審物の送付なんて、日常茶飯事です。それもあって、あちこち異動させるんじゃないですかね？　ひとつのところに長く勤務していれば、住所も特定しやすいですから」

「ああ、出所してきた時には、もうもとの地検にはいないっていう？」

「ええ、相手がいなければ刺すことも出来ないですから。それでもたまに逆恨みで地検に来て暴れる人間はいますが、あまり報道されないんですよね」

けろりと言われ、背筋がゾッとする。

同じ難関の司法試験に通っていながら、なぜそんな目に…、と同情してしまう。好きで選んだ道なのだろうが、離職率が高く、弁護士への転向が多いのもわかる気がする。

転勤が多く、職業倫理はどの職業よりも厳しく、給料は一般公務員並み。それでいてやたらと他人から恨まれるなら、いくら最初の志が高くても、途中で心が折れる人間が出るのも仕方がない。

「でも、特捜の応援って大変そうですけど、かっこいいですね」

「検察官自体が常時不足してますからね。とにかくかき集めてかかるって感じじゃないですか？　僕もそろそろいい歳ですしね」

「佐々木先生、ご結婚は…？」

高岸は恐る恐る尋ねてみる。

「検事は結婚して一人前なんていわれてるところがあるので、俺もそろそろ身を固めなきゃいけないんですけど、正直、今はそこへまわす余力がないっていうか…」

佐々木は肩をすくめてみせる。

「女性事務官もいらっしゃるんでしょう？」

「いるにはいますが、もともと警察以上にハードな男社会なので女性は少ないですし、それで独身となるとなかなかねぇ」

本人的にやる気があるのかないのか、佐々木は呑気な顔をしている。

「…もしかして、すごく理想が高い…とかですか？」

末國は何だかんだとうまくごまかしてしまったが、実は佐々木もそっちの人なのだろうか…、とほんのり疑りながら高岸は尋ねてみる。

「いや、そんなこともないですよ。結婚するなら、相手も幸せにしたいですしね」

とんでもないと、佐々木は迷う様子もなくきれいに否定する。疑いの余地など差し挟めないぐらい、きっぱりしている。

修行僧のように禁欲的な雰囲気なこともあいまって、それ以上は突っ込みようもないぐらいに模範的な回答だ。

「でもやっぱり、時間がないっていうのが一番大きいですかね？　仕事が恋人なんですなんて言ったら、けっこうまわりに引かれるんですけど」

それはきっと、引くというより、これでは周囲も取りつく島がないといった感じに近いのではないかと思う。

末國が手の届かない銀幕女優みたいだと言った気持ちも、わからないではない。

こうして一緒に話していて、佐々木が飾ったり嘘をついたりしている様子もないのに、ひたすら凡庸な自分が妙に恥ずかしくなってくる。

あの末國でもそうなのだろうか…、と食事を終えて最後のコーヒーを飲みながら高岸は思った。

店を出て、今日は武蔵野《むさしの》の実家に帰るという佐々木と共に、駅へと向かう。

明日から応援に入るという佐々木は、もうしばらくは夜中過ぎまでの残業で末國に会っている時間もないだろうからと、改札を入ったところでカニのスチロールの箱を高岸に託してくれる。

どうも以前のように、高岸と末國が仲良くやってると思ってくれているらしい。

なんだかそれが申し訳なくて、このいかにも高価そうなカニをうまく末國に渡せなかったらどうしようと思いながら、高岸は一応断っておく。

「すみません、ちょっと最近は末國先生もお忙しいみたいで…、渡せるといいんですけど…」

「末國、明日の晩には帰ってくるって言ってましたよ」

人の波を避けた柱の横で、大丈夫でしょうと佐々木は請け合う。

案外この人は、天然な雰囲気を持っているようで、涼しい高みから色々と見通しているのではないだろうかと、高岸は思った。

「末國の奴、本当にいつか高岸先生と事務所を一緒にやりたいんだなって、年末に一緒に飲んだ時に思いましてね」

佐々木は柔らかい形に目を細める。

「それは末國先生、口がうまいから…」

佐々木も口説かれたと言っていたではないかと、高岸は口ごもる。

いいえ、と佐々木は首を横に振った。

「普通は一緒にやるなら、同期同士っていうのが一番多いんじゃないですか？　修習仲間でも検事や裁判官は珍しいですが、弁護士になった同期は多いんですよ。それをあえて歳下の弁護士さんに声をかけるなんて、あまりないですよ。だから、よっぽど一緒にやりたいんだろうなって思って」

そうだろうか、と高岸はまだ気の晴れないままに作り笑いを浮かべる。

「そうなんでしょうか？　他の事務所の事情はあまりよくわからなくて…」

まわりで詳しく勤務先の弁護士の歳を聞いたのは、今の自分の勤める事務所と末國の事務所、それに例の横浜の同期ぐらいだろうか。

同期で弁護士になった人間はまだ全員がいそ弁枠で、独立開業したものはいない。そのせいもあって、よけいに実感がなかった。

「ほら、事務所一緒にやろうよっていうのは、プロポーズに近い言葉でしょう？」

かたわらの柱に長身を預け、佐々木は言った。

「プロポーズ…ですか？」

「ええ、俺はそう思いますね。結婚は人生の伴侶《はんりょ》、共に法律事務所を起こすのは仕事の伴侶を選ぶに等しいっていうのかな」

「でも、佐々木さんも末國先生に口説かれたって…」

「口説かれたって言っても、二回ぐらいですよ。俺はもともとこのとおりの検事志望でしたし、酒の席でちゃらっと言われたぐらいです」

軽いんですよね、あいつは…、と佐々木は親友なりの遠慮のなさで笑う。

「いつか一緒に事務所やろうって思ってるんだよね、などと堂々とあんなに公言したのは…、それでもって半年以上もまだしつこく言い続けてるのは、高岸先生が初めてじゃないかな？　そんなの人前で長く言い続けて、最終的に振られたら格好悪いですからね。それをまだしぶとく言ってる。それだけ本気なんでしょう。これで振られたら、どれだけ荒れるか。考えただけでゾッとしますよ」

そう言って佐々木はちょっと思いを巡らせるような顔を見せた。

「末國は最近、よくテレビに出てるでしょう？」

「ええ、テレビだけじゃなく、雑誌とかにも…」

さすがに高潔そうな佐々木相手に、この間からの生臭い騒動をダイレクトに指摘も出来ず、高岸は曖昧にぼかす。

「少し前は妊娠騒動で、この間は誰か女性タレントにキツいこと言ったんでしたっけ？　かなり話題になってましたよね？」

「ご存じでしたか？」

「そりゃ、番組そのものを見てなくても、コンビニに行けば週刊誌やスポーツ新聞の見出しが目につきますから。ネットを開けば、トップページでニュースになってるし」

末國のあの女性タレントに向けた言葉は、世間的にけっこう波紋を呼んだ。

あんな風に突きはなした言い方はいかにも見下しているようで感じが悪いという意見もあったし、とうとう露になった若手人気弁護士の本性、人気を笠《かさ》に着て図に乗っているなどと書き立てる週刊誌もあったが、おおむねは末國に賛同するものだ。

「妊娠したっていうあの女優さんの相手が末國っていうのは嘘でしょう。あいつは多分、あんまりああいったオンナオンナしたタイプは、好きじゃないだろうから」

何をどこまで知っているのか、佐々木はさらりと言ってのける。

「ああ見えてプライドの高い男だから、高岸先生に断られたらそれなりに傷つくんじゃないかな？」

そう言って、佐々木は最後にまた飲みましょうねと笑うと、在来線ホームへの階段を上がっていった。

Ⅳ

『佐々木検事にカニをいただいたんですけど、先生のご都合はいかがですか？』

かなり長く考えたが、結局、他には思いつかず、高岸は佐々木と別れたあとにそれだけをメールで打って末國に送った。

しかし、結局、家に帰り着いても末國からの返信はなかった。

幸いなことに佐々木が提げてきてくれたのは茹《ゆ》でガニで、調理の必要などなかったが、カニなど三日も四日も保つようなものではないだろうから、夜中近くまで末國の返事を待った高岸は暗澹《あんたん》たる気分となる。

明日、覚悟を決めて電話を入れたほうがいいのか、涙を呑んでひとりガニと決め込むほうがいいのか、大橋にでも渡して家族で食べてもらった方がいいのか…。

でも末國が高岸に渡しておいてくれと佐々木に言ったらしいので、勝手に大橋に渡すわけにもいかないかも…、とひとりであの立派なズワイガニを食べなければならない虚しさを思いながら、その日の晩は眠りについた。

末國からのメールが返ってきたのは、翌朝金曜日の五時過ぎ、まだ外は明けてもいない時間だった。

『昨日はさんざんに酔っ払って、寝落ちしてた。今日の夕方、六時四十分羽田着の便で帰って、そのまま先生の部屋に行きます』

早朝にメールの着信音でたたき起こされた高岸は、眠い目をこすりながら文面を眺め、溜息をつく。

「聞いてないし。第一、どれだけ飲んだんだよ、ウワバミのくせに…」

末國をさんざんに酔っ払わせるには、それこそ一升瓶でも並べないと無理だろうと、ちょっぴり毒づき、そして少し安心して、再度枕に顔を埋めた。

なぜか末國の部屋でちょうどいい高さの枕に頭を預け、あの男の匂いに包まれて眠ったことが思い出され、少し幸せな気分で二度寝したら、迂闊にも寝過ごした。

泡を食って家を飛び出しながらも、末國から返事が戻ってきただけで、ずいぶん浮かれた気分になっていることに気づいた。

そして茹でガニには何があうだろうかと、混み合った電車の中で今晩のメニューを考える。

ずいぶん長い間、末國に会っていないような気がするから、今晩会えると思うとそれだけで満員電車に揺られることが嬉しかった。


「へぇ、ずいぶん佐々木も奮発したんだなぁ」

久しぶりに高岸のマンションへとやってきた男は、冷蔵庫にででんと鎮座まします立派なズワイガニを見て言った。

「俺さぁ、カニだっていうから奮発してここまでタクシー乗っちゃったよ。羽田からここまで、マン越えるのな」

いつもと変わりない様子で飄々とキッチンに顔を出し、末國は渋い顔を作ってみせる。

カニがというより、一連の発言で注目を浴びたせいで普通にリムジンバスなどに乗りにくいのだろうが、それにしてもあまりに変わりがない態度には呆れるのを通り越えて感心する。

心臓にちょろっと毛は生えてるかもなと思っていたが、今はかなりの剛毛がわさっと生えてるんじゃないかなぐらいには思っている。そのうちにゴワゴワした毛で心臓がまったく見えない…、ぐらいには思うかもしれない。

「僕も奮発して、デパ地下で烏骨鶏《うこっけい》の茶碗蒸《ちゃわんむ》しをお買い上げですよ。ただの茶碗蒸しではカニに負けるんじゃないかと、変に気負っちゃって。まぁ、材料つきの原液買っただけの手抜きっちゃあ手抜きですし、マンはしてませんけど」

あまりに末國が普段と変わりないので、最初は男を迎え入れる際にちょっとばかり構えてしまった高岸も、湯気を立てている蒸し器を後ろにツンケンと言い返す。以前、末國が茶碗蒸しを食べたいからと、勝手に持ち込んで置いていった蒸し鍋だ。

これでは以前とまったく変わりない。進歩がないというべきか…。

そういえば強引にキスをされたっきり、謝罪もされていない。

末國とのキスそのものが嫌だったわけではないが、同意を求められていない以上は、少しぐらいはそれについての弁明があってもいいのではないかと、今頃になって持ち前の反骨精神がむくむくと頭をもたげる。

「はい、おみやげね」

ひょいと紙袋を渡され、高岸はしばらく無言となった。

「……先生、これは何です？」

紙袋の中から、なんだか素っ惚けたような垂れ目垂れ眉の赤い特徴のある面がこちらを見ている。

「何って、福岡名物二〇加《にわか》せんぺい。煎餅って書いて、せんぺいって読むのがミソ」

「ほう、明太子でもなく、博多ラーメンでもなく煎餅…」

別に煎餅が悪いわけではないし二〇加せんぺいにも恨みはないが、この間までのちょっとギスギスした雰囲気で、この人を喰ったようなチョイスをする末國に微妙に腹が立つ。なまじ気を遣って、烏骨鶏の茶碗蒸しを用意した自分が馬鹿を見た気分だ。

「何怒ってんの？　カルシウム足りないんじゃない？　ご希望の明太子はここに」

はい、と末國は煎餅の箱を取りだし、下の明太子の包装を見せた。なんだか取り合うのも馬鹿馬鹿しくなって、高岸は男を睨んだあと、無言で袋を奪う。

「あと、明日ここ宛《あ》てに地鶏が来るから」

末國の突拍子もない予告に、思わず、はぁ…と言い返してしまう。

「何をそう色々と…」

土産にしては多いし、第一、明日は休みじゃないかと高岸が言いかけるのに、末國は大きな手で髪をかき上げる。

「うん、だからさ、俺を今晩ここに泊めてよ」

「はぁ？」

のうのうと言ってのけられ、それこそ高岸は眉を吊り上げた。

「聞いてないですけど？」

「今言ったところだもん」

そんな…、と高岸はしばらく言葉もないままに、口を開けたり閉じたりした。

あまりにいけしゃあしゃあと言ってのけられると、反撃する気も失《う》せる。

「何で僕が、こんな質の悪いオオカミを泊めなきゃいけないんですか？　僕の貞操が危機に瀕《ひん》するっていうんですよ」

「悪いオオカミさんは、お嫌いですか？」

少し嬉しそうに笑うと、末國の長い腕が高岸の身体を抱き込んでくる。予告もなく抱きしめられると、きゅっと息が詰まるような気がした。

好きだと自覚するよりも早く、勝手に心臓のほうが早鐘を打ちだす。

抱き込まれる感覚があまりに心地よくて、その腕をふりほどいて逃れることも出来ずに高岸は呟く。

「…僕は、もう少しいい加減な末國先生の方が好きですよ」

「いい加減な俺って、先生さぁ…」

腕の力をゆるめて高岸を見下ろした末國は、困惑したように眉を寄せる。

「本気で言ってるんです。もう少しちゃらんぽらんで、適当にトボケてる先生の方が好きですね」

「そういう生意気なこと言ってると、あとで寝込みを襲うよ」

「故意ですか？」

「未必なわけないだろ？　っていうか、やっぱり覚えてるんだろ？　色々、あれこれ」

尋ねられ、高岸は目を伏せ、しばらく口をつぐんで黙り込んだ。

そして、首を横に振る。

「断片的に気持ちのよかったことは記憶にありますが、申し訳ないですけど…」

応えたあとに高岸はつけ足す。

「すみません、初めて関係したのに覚えてなくて…」

経緯はどうであれ、やはり関係を持っておいて覚えてないなどと言われるのは、やはり同じ男としてはショックだろうと詫びておく。

そんな人のよさが末國をつけいらせているわけだが、高岸にはあまり自覚がない。

「いや、それはさ…、まぁ、俺も先生が酔っ払ってるのにつけ込んだっていうのもあるし？　先生、すごく可愛かったからさ」

ここへ来て初めて、末國も気まずそうに頭をかくと、ちょっと黙り込んだあとにニッと笑った。

「じゃあさ、今晩、思い出してみるのはどう？」

「そのかなりオヤジテイストな提案を、もう少しスマートに言い換えていただいたら、僕もやぶさかではないかもしれません」

これ以上末國にかまけていると茶碗蒸しに鬆《す》が入ってしまうと、布巾《ふきん》を手に取った高岸はぐいと嵩高い男を押しのけた。

「えーと…、じゃあ、よろしくお願いします」

この先、どうしたものかと色々考えてみたが、結局、風呂上がり、少し湿った髪で愛用のネルのパジャマをまとった高岸は、ベッドの上で正座して頭を下げた。

ははっと長い片脚を抱えてベッドの端に腰掛けた男は、明るい笑い声を上げた。

「いや、そうやってかしこまられるとこっちも照れるんだけどさ」

「すみません」

頭を垂れると、大きな手がまた愛しむように高岸の髪を撫でた。

あ、この手…、と高岸は目を閉ざす。温かくて気持ちいいと思うと、勝手に瞼《まぶた》のほうがうっとりと下がる。

数少ないこれまでの経験では、普段は憎まれ口をたたき合うほどに身内意識の強い相手と寝たことはなく、少々勝手がわからない。そして同時に照れくさい。なんとも気恥ずかしい。

だが、それ以上に末國に触れられるのは心地いい。

甘やかされているようで、同時に自由に自分に触れさせ、甘やかしているような気持ちにもなる。

そうして目を閉ざしていると、何度も柔らかくキスをされる。

この前も思ったが、末國とのキスは好きだ。甘くてうっとりする。

目を閉じていると、大きな手が高岸のパジャマを剝ぎ取りながら、うなじから首筋、肩から胸へと柔らかく触れてゆく。

「…ぁ」

胸許をくすぐるように触れられ、小さく声が洩れた。指先で引っかけるようにされると、ぷつんと乳頭が持ち上がってくるのがわかる。

「…なんか、すごく恥ずかしいんですけど…」

呟くと、笑い混じりにその先端を口中に含まれた。

「…ふ」

恥ずかしさよりも疼くような甘さが、含まれた胸許から広がる。もう片方も指先で悪戯されて、勝手に下肢が頭をもたげた。

脚の間をがっしりした腿で割られ、固い筋肉で煽るようにこすられると、高岸も素直に気持ちよさを追ってしまう。

記憶よりも身体のほうが、末國に与えられる愛撫を覚えているようだ。この大きな手で触れられると、どんどん皮膚の内側から熱を帯びて、溶け崩れてゆく気がする。

大きな手の中で勃ち上がったものを弄られると、たまらずに腰が振れた。

「この前みたいにしていい？」

末國にいつにない艶っぽい声でささやかれ、高岸は自分の中にある断片的な声や記憶を探る。

「…この前？」

「うん、この前さ…。先生がこうしてくれって…」

からかいでも何でもないようで、どこかうっとり酔ったように目を細め、末國は剝き出しとなった高岸の太腿の間へと顔を伏せる。

「…ぇ、俺…、こんな…」

本当にこんなことをせがんだだろうかと、信じられないような形に両脚を開かされながら、高岸は戸惑う。なまじ、よく知った自分の部屋の天井がリアルで恥ずかしく、いたたまれない。

「ん…」

しかし、温かな口中に含まれると、はっきりと末國にそうされた記憶が蘇る。完全に高岸自身を根本まですっぽり包みこめる大きな口蓋《こうがい》を意識すると、腰の深部が震えた。

「…先生」

高岸は呻いた。思い出してとささやかれた言葉の甘さと共に、どうしてこの感覚を忘れようとしていたのかと胸が痛くなる。丹念に舐めしゃぶり、吸い上げられると、愛しまれているのだと痛感する。

高岸は息を弾ませ、目を閉ざして心地よさと同時に、胸の奥の痛いような甘い疼きを追った。

自分の一番の弱さを、隠しようもなく相手に曝《さら》け出す行為をねだった自分は、あの時からすでに末國に甘えていたのだろう。

「思い出した？」

くぐもった声で尋ねられると、末國の温かな口中で張りつめたものが揺れる。

「ん…」

高岸は頷き、濡れた熱い舌先がまとわりつく振動がたまらないと、末國の髪に指を絡める。

「僕は…？」

何もしなくては申し訳ないと、高岸はすでにTシャツを脱ぎ捨てた末國のうなじから肩まわりへと指を這わせた。

「俺はさ、こうして先生触ってるだけで楽しいのね」

さらに甘やかすように末國は笑い、また後でね…、といつもより淫靡な声でささやく。

シーツに剝き出しの背中を預け、硬起した性器を口中で可愛がられながら、たっぷりしたジェルで後ろに触れられた。

「え…？」

ぬらぬらと濡れた感触に眉を寄せた高岸を、舌先で愛撫しながら末國が笑う。

「この間さ、ここも悪戯したの、覚えてる？　痛くないはずだよ？」

「え…、でも…」

「俺、けっこう上手いと思うよ」

口淫の巧みさと末國の強引さに騙され、ジェルの潤いを借りて、やんわりと少しずつ内奥に男の指を含まされる。

内部で揃えた指をゆるゆると動かされると、妖《あや》しい感覚が蘇る。確かに覚えのある、他にはない危うい感覚だった。

「…は」

高岸は口ではたとえようのない、腰がうねるような感覚に煩悶する。捌《は》け口を求めて男を見上げると、恥ずかしい形に脚を開かされた。

「ちょっと…、あ…、え…、それは無理…」

そんな馬鹿でかいものが入るかと、高岸はあてがわれた昂《たかぶ》りにおののき、男の胸に腕をつく。

「…んー？　でもさ、ちょっとだけ」

適当なことを言ってはぐらかしながらも、末國は勝手に下肢を攻略しはじめる。

「無理ですって、そんなの」

脚の間で蕩《とろ》けるジェルが恥ずかしいと、高岸は大きく脚を開いたままで暴れる。

「もう少し…、ね？」

なんだかんだと身を進めようとする男を、高岸は半ば涙目で見上げる。

「この間は大丈夫だったんですよね？」

少しだけ末國が笑った。心底、艶っぽい笑いだ。

「最後まではしてないよ。わからなかった？」

「そうなんだ？」

なぜかちょっとほっとした息を吐くと、唇にキスを落とされる。その辺の記憶が非常に曖昧で、甘えてグズグズになって溺《おぼ》れた感覚はあるが、その曖昧さゆえに申し訳ないように思っていた。

高岸は目を閉じ、ゆっくりとその舌先を受け入れる。少し厚みがあって、蕩かすように高岸を舐め食《は》む舌先だ。煽られるままに舌を絡めていると、臀部を柔らかく撫でる手も気にならなくなる。

ふっと力の抜けた隙をついて、ぐうっと末國が身を進めてくる。

「あ…、え…、今するの？」

覚悟の決まらない身体は、中途半端に流されかける。それでも大きく膨れ上がった末國を呑み込むのは容易ではなくて、高岸の身体は逃げかけた。

大柄な男に引き寄せられ、組み敷かれる形で固く歯を食いしばりかけたところを、唇に触れられ、シーッ…と子供でも言い聞かせるようになだめられる。

「歯を食いしばらないで、もっと力抜いて。うん、痛かったら俺の指噛んでもいいし」

それはさすがに痛いだろうと末國を見上げると、長い指を口許にあてがわれる。

「ほら、噛んでみる？」

え…、と戸惑いかけたところで、高岸の身体に覆いかぶさった男はゆっくりと身を進めた。

「あ…、あっ」

やめてくれと抗議する間もなく、末國の先端が柔らかくほぐれた肉に入り込む。

いったん入り込むと、潤いと共に勝手に内側からぬるりと引き込むような動きがあって、高岸は焦った。

「せんせ…っ」

「有智っていうのな、俺」

ほれ、呼んでみ…、などと末國はやんわりと高岸の内部を征服しながら、笑いかけてくる。

そんな恥ずかしいことを言えるかと半ばは照れからそっぽをむくと、さらにずるりと長大なものが中に沈み込む。

「なーんで？　中はこんなにいい子なのにな」

「恥ずかしい言い方、やめてくださいっ」

「本当に呑み込みいいよ、ちゃんとさ、ほら…」

ジェルで濡れほぐされた深い箇所に、圧倒的な質量がじわじわと入り込んでくる。

「やっ…、やっ…」

上擦った悲鳴の中でも、嫌だという決定的な否定の言葉が出ないよう、高岸は唇を噛みしめる。

「…中に…」

じんわりと自分の身体の奥が外側から圧倒的な質量で押し広げられてゆく感覚は、たっぷりとした

潤いもあいまって、快感とも不快感とも言いがたい。違和感で腰は浮きかけているのに、圧されている内部はこれまで知らなかった未知の感覚を覚えている。

ゆらゆらとそうして高岸を圧しながら、かなりの時間をかけ、男はそのほとんどを高岸の中に埋め込んだ。

動かれるとキツいが、ゆらゆらと波のように中を穿《うが》たれるのには肌が粟立《あわだ》つような快感がある。

「先生、気持ちいい？」

尋ねられ、反射的に小さく頷いてしまう。

「そう？　よかった」

末國は考えていた以上に、ほっとしたような声を出した。

「ちゃんと大事にするからさ、先生」

深みのある声が、耳許で甘くささやいてくる。

「ずっと一緒にいようよ、先生」

大事にすると呟かれ、そんな言葉を他人から向けられたことがない高岸は言葉をなくす。

末國も何かを怖れているのだろうかとその顔を見上げ、濃い色の髪に指を絡めてみる。

この傍若無人な男が、快楽を追って自分勝手に動かない理由が言葉以上に能弁に伝わってきて、高岸は口許をゆるめて頷いてみせる。

いいですよ…、と末國にわずかに聞こえるほどの小さい声で答え、高岸は自分から男の頭を引き寄せ、その唇に口づけた。

V

「高岸先生、今日はどこ行くの？」

昼食時、ビルのホールを出たところでロングコートを羽織った末國が声をかけてきた。

連絡はなかったが、どうやらわざわざ高岸が出てくるのを待っていたらしい。

「あ、今日はカレーにしようかなと…」

週末を共に過ごしてから初めて顔を合わせる照れくささもあって、はぁ、と高岸は頷く。

「カレーだったら、もう少し美味しいところ連れてったげるから、あのチェーン店はやめようよ」

「美味しいんですか？」

「美味しい上に、プラス二百円ぐらいの値段でサラダとかデザートもつくからさ、トータル的にはお得よ」

「そんな店があるんだったら、最初から教えて下さいよ」

「なんかポリシーがあってあそこに通ってるのかなと思ってたんだよ」

あそこは辛いだけで旨味も何もないと、末國はブツブツこぼす。

「末國先生、高岸先生！」

後ろから声をかけてきたのは、末國の事務所の弁護士の松嶋だった。

「ちょっと見ました？　さっきの山県ちとせの電撃入籍会見」

「入籍？　誰と？」

もしかして俺じゃないだろうなと、末國は大きく顔を歪める。

「違いますよ、広告代理店に勤めてる一般人だそうですよ。でっかいダイヤの指輪、こうきらきらっとかざして見せてました」

駅の大画面で流れてましたよ、と松嶋は言う。

「あのアマ、俺は当て馬かよ！　上等じゃねぇか！」

畜生っ、と末國がかたわらのガードレールをガツンと蹴るのに、松嶋は尋ねる。

「山県ちとせにも損害賠償請求しておきます？」

「請求どころか、あの女が諸悪の根源だって！　あそこまでいくと、偽計を用いて信用毀損《きそん》って話だろ？　後悔するほど、ふんだくってやる。見とけよ！」

末國は苦々しく吐き捨てた。かなりの大枚を払わされたらしいので、これは本気だろうなと高岸は長身の男を見上げる。

「ところでお二人とも、今からお食事ですか？」

松嶋はちょうど出先から戻ってきたところらしく、手には書類鞄を下げている。

「僕もご一緒していいですかね？」

松嶋は嬉しそうについてくる。

「僕、末國先生とランチに行ったこと、ほとんどないんじゃないですか？」

「そうだっけ？」

末國の返事は悪びれることもなく、軽いものだ。

「いつもさっさと姿消しちゃうんですよ。高岸先生と一緒にランチしてたとは、知らなかったですけど」

ね、などと松嶋は高岸の顔を覗き込んでくる。

「別にいつも一緒ってことはないですけど」

せいぜい、週に三、四日といったところではないかと高岸は思う。

以前の忘年会の時にも思ったが、松嶋は岩瀬の事務所にいるだけに口数の多い男だ。

末國に連れられて雑居ビルの二階にあるカレーの専門店に入り、オーダーを終えても、ひたすらに喋り続けている。

「そういえば鹿島さんの留学中の彼氏帰ってくるらしいですよ。いよいよ結婚ですかね？」

「…留学中の彼氏？」

初めて聞く話に、へっ、と高岸は声を洩らす。そして、横目に隣に座った男を睨んだ。

「…聞いてませんけど」

「言ってなかったっけ？」

末國はしれっと応じる。

この表情、この声、絶対にこれはとぼけていると高岸は確信して、松嶋へと向き直った。

「松嶋先生、鹿島さんってその彼氏とつきあって、けっこう長いんですか？」

「長いと思いますよ、学生の頃からって言ってましたから。ねぇ、末國先生？」

「そうだったっけ？　松嶋先生、詳しいなぁ」

末國のとぼけた答えに、松嶋は笑う。

「えー、先生、前に彼氏のことで鹿島さん、からかってたじゃないですか。最初に僕に、鹿島さんは結婚予定の彼がいるんだよって教えてくれたのも、末國先生だったでしょ？」

全然、そんな話は教えてくれたことがなかったじゃないかと、高岸は横目に末國を睨む。

それどころか、鹿島の来る忘年会に呼んであげるから、クリスマス前に隠れ家フレンチを一緒に…、などと高岸を釣ったのではなかったか。

「…ちょっと、末國先生？」

トーンダウンした高岸の声に、末國は整った顔ににやにやとした笑いを浮かべるばかりだ。

それをどう思ったのか、松嶋はひょいと高岸を指さした。

「あれぇ、もしかして高岸先生、鹿島さん狙いだったんですか？」

「いや…、ねぇ？」

狙っていたというわけではないが、出来ることならばと、末國がひらつかせたディナーにうかうか喰いついたのは確かだ。

挙げ句に喰われたのが誰かという話で…。

「鹿島さん、胸デカいですもんねぇ。うわ、高岸先生、おっぱい星人なんだ？」

「いや、別にそういうわけでは」

ねぇ、と高岸は腹いせに隣の末國を小突く。

「高岸先生、今つきあってる相手、けっこう胸まわり《バスト》あるよねぇ？」

へらへらと尋ねる末國の太腿を、高岸はスラックスの上からぐいと強くつねった。

「ああ…、胸囲なんかはそれなりにあるかもしれませんねぇ」

どうしても声のトーンは低くなる。

「へぇ、高岸先生、侮れないですね」

うはぁ、などと松嶋は能天気な笑い声を洩らすのに、末國は勝手に頷く。

「うん、けっこういい人だよね。先生？」

太腿をつねられても笑っている末國を、高岸は横目に睨んだ。

「いえ、本当に性格悪くて。しょっちゅう、とんでもない嘘つきますし」

「えー、悪女タイプなんですか？」

「悪女っていうか、悪いオオカミタイプ？」

「ワイルド系なんですか？　あれ、それは意外だなぁ」

どこかずれてる松嶋から見えないよう、テーブルの下で太腿をつねった高岸の手を、末國の大きな手が握り込んできた。

END

オオカミの嘆き

ゴールデンウィークの四連休、末國有智《すえくにありとも》の部屋に泊まった次の日の昼前、高岸恒《たかぎしこう》は末國に借りたルームウェアをまとってしばらくベッドに座り込み、考え込んでいた。

「僕、身体固いんですかね？」

長い袖《そで》をやや折り返していても薄い肩の辺りが少し落ちる様子が可愛《かわい》いじゃないかと、ベッドの上でやに下がっていた末國は、また急に何を妙なことを言いだしたのだろうと顔を上げる。

「身体？」

「ええ、なんか柔軟性に欠けるっていうか…、身体中痛いのは、どうしてかなと」

いつもはセットしてある髪が落ちていると、さらに若く見える高岸は真顔で額に手をあてている。

「いや、そりゃ、まぁ…その…、あれじゃない？　もともと男って、そう大きく開脚するようにできてないっていうか…、造り的にねぇ？」

色気の欠片《かけら》もない悩みだが、さすがに末國もノンケの高岸に受け身を取らせている引け目もあり、曖昧《あいまい》に言葉をぼかす。

「でも、腕とかもけっこう痛むんですよね」

高岸は二の腕のあたりをさする。

「そりゃ、先生、必死でつかまってきてるからじゃない？　その分、腕にも力入ってるとか？」

末國が高岸の足首あたりを撫《な》で上げながらからかうと、高岸は薄く頰《ほお》を染め、かなり邪険に足首を引いてしまう。

「二の腕ですよ、二の腕。つかまったぐらいじゃ、そんなに痛まないでしょう？」

「じゃあ…、ただの運動不足じゃない？」

末國の言い分にむっとしたのか、高岸は細めの眉《まゆ》を吊《つ》り上げる。

「別に僕が格別運動不足なようにも思いませんが、何か先生は特別に走り込まれてたりするんですか？　確かに腹筋とかは、僕が逆立ちしたってかなわないような、見事なものをお持ちかもしれませんがぁ」

こればかりは骨格や筋肉がはっきり形になりやすいタイプと、目立たないタイプがあり、高岸は後者なわけだが、あまり露骨に指摘すると逆に機嫌を損ねてしまう。

「いや、そんな健康オタクじゃあるまいし、わざわざ外走っちゃいないけど…。時々、気が向いた時に腹筋と腕立て、背筋ぐらいは？」

「やってるんだ？」

「え、やってないの？」

二人は顔を見合わせる。

「高岸先生、それであんなチェーン店の高カロリーなカツカレー食ってたら、あっという間に腹出るよ。手伝ったげるから、今日からやって」

「え、腹筋と腕立てを？」

高岸はやや引き攣《つ》った顔となる。

「あと、背筋もね。デスクワークばっかりだと気がつきにくいけど、背中は地味に肉がついてくるんだよ」

「僕、今、身体中痛いって言ってるじゃないですか」

「でもさ、一応、俺、目一杯やさしくしてるじゃない。そりゃ、もう、相当に。感じないかな、この潤沢に溢《あふ》れるほどの愛」

末國はのそりと身を起こし、ベッドの上に座り込む高岸の両脚の間に、大柄な身体をあえて割り込ませる。

「そんな安っぽく大盤振る舞いされる愛の程度なんて、たかが知れ……って思いませんか？」

ぐぐっ…、と末國の頭に手をかけ、高岸は近づかせまいと抗う。

夜はそれなりに可愛い顔も見せるくせに、朝になるといつもの生意気な優等生面に戻るあたりがけっこう手強い。

末國はそれを鼻先で笑い、高岸の膝《ひざ》の内側あたりをやんわり撫でた。

「…っ、ちょっと、先生？」

「ごめん、そんなにあちこち痛くなるって思ってなくて。他、どこが痛いのかなぁ？」

「なぜにそんなに、いちいち言うことがオヤジテイストなんですか？」

腹筋をせずとも、無駄な肉のないやたらと細い腰だ。ウエスト周りが余るルーズパンツの紐《ひも》を解《と》き、露《あら》わになった腰骨のあたりに指を這《は》わすと、高岸はまた赤くなる。

「こんな真っ昼間から、何するんですか？」

「じゃあ、カーテン閉じる？　先生、肌綺麗《きれい》だから、俺は明るくてもいいけど。ちょっと見せてよ。ねぇ、胸なんてさ、可憐《かれん》なベージュピンクでお子様かっていう…」

「だから、そのセクハラ発言をやめろって言うんです！」

ああだこうだと、ベッドの上でじゃれ合いのような小競り合いを続けていると、ベッドサイドのスマートホンが鳴る。

「…先生？」

高岸から促され、しぶしぶ身体を起こして画面を眺めると、司法修習時代の同期である佐々木将明《ささきまさあき》からのメールだった。

「あー…」

その内容に微妙な声を洩《も》らしながら、末國は寝乱れた髪をかき上げる。

「誰からです？」

「うん、佐々木ね…」

今晩、お前の家に行っていいかという文面を眺め、末國は曖昧《あいまい》に言葉を濁す。

正月早々、旭川《あさひかわ》地検から応援で東京《とうきょう》まで駆り出されて以来、佐々木は東京地検で忙しくしているようだが、連休ともなるとさすがに時間も空くのか。

佐々木は一等気に入っている友人枠で、普段なら諸手を挙げて歓迎だと言いたいところだが、何分、去年から口説いてやっと関係に持ち込んだ高岸が、続けて泊まってゆくという貴重な連休だ。

こうして昼前だというのにうだうだベッドの上で絡み合っている蜜月《みつげつ》ともいえる甘い空間には、たとえ佐々木といえども立ち入らせたくない。

それに佐々木は、ずいぶん高岸を気に入っている。傍目に見ているとかなり微笑《ほほえ》ましいというか、美味《おい》しい絵面なのだが、末國そっちのけでかまい倒す気配がすでに若干見られる。

去年から下心を押し隠し、隣のビルの気さくな先輩弁護士枠から半年以上かけて口説きに口説いた末國としては、いくらお気に入りの友人とはいえ、やっと手に入れたカワイ子ちゃんと自分をほったらかしてあまりイチャイチャされたくない。

了見が狭いのかもしれないが、男などというのは多かれ少なかれ、そういう勝手な生き物だ。

「佐々木検事ですか？」

末國の複雑な胸中など気づいた様子もなく、高岸はぱっと顔を明るくさせた。

高岸も佐々木にはずいぶんな懐きようで、これはこれでやはり微妙に面白くない。

いや、険悪な仲でいられるのも困るが、朝はキスひとつ満足にさせてくれないくせに、佐々木からメールがあったというだけで、そこまで嬉《うれ》しそうな顔を見せられると複雑だ。

「お元気なんですか？」

お元気も何も、少し前にも三人で一緒に食事に行ったところだが、まぁ、これは順当な社交辞令だろうか。

「元気は元気なんじゃない？　今日の夕方から、泊まりでここに来ていいかって。でも、今日は先生来てるしさ…」

断る…と言いかけたところを、高岸は屈託のない嬉しそうな笑顔のまま、末國の携帯を握った手に手をかけて、にっこり笑った。

「佐々木さんがいらっしゃるなら、今晩は何食べます？」

「今晩？」

「もちろん食べに出てもいいんですけど、佐々木さんはかなり飲まれますから、家飲みにします？タンドリーチキンとか、意外にお酒に合うんじゃないかな。あれなら、割に簡単に作れるんです。あと、サラダを二種類。ブロッコリーと海老と卵のマヨサラダなんてどうです？　佐々木さん、外食が多いっておっしゃってたから、野菜多めにしましょう。スープもミネストローネとかなら野菜取れるし、冷めてもそれなりに飲めますよ」

素朴で家庭的なものながら、料理はそれなりの腕を持つ高岸ににこにこと提案されると、最近の食生活に関してはかなり高岸に依存している自覚のある末國は逆らえない。

「海老と卵のサラダってさ、初めて聞いたけど美味しいの？」

「ブロッコリーを抜いたのは、意図的なものですか？　海老と卵じゃ、サラダになりませんよ。でも、この間、初めて作ってみたんですけど、簡単なのに美味しいんです。今、はまってるんですよね。アレンジでショートパスタ入れたり、黒オリーブ入れてみたり」

高岸はずいぶん楽しげな笑顔を見せる。

「隠し味は黒胡椒《くろこしょう》とマスタードです。それでマヨネーズ味を締めるっていうか、ビールとかにもちゃんと合う味になると思うんです」

「へぇ、いいね」

「じゃあ、佐々木さんに会えるのを楽しみにしてますって、そう言ってもらえますか？　あ、僕、一緒でもいいんですよね？」

末國の心配とは別の方向で、高岸はよけいな案じ顔となる。

「いや…、そりゃ、もちろん。今日はもともと先生との約束だったんだし」

「夕方って、だいたい何時頃にいらっしゃるんですか？　佐々木さんがいらしてから一緒に買い物に行ってもいいんですけど、チキンなんかはできれば下準備しておきたいから」

さっきまで末國とベッドの上でイチャイチャしていたくせに、高岸はあっさりと立ち上がってしまう。

「え…、ちょっと先生？」

「末國先生もいつまでもだらだらしてないで、着替えてくださいよ」

高岸は言い捨てるとリビングに足を踏み入れ、コーヒーの用意を始めてしまう。

「…先生、身体が痛いんじゃなかったのー…？」

くっそー…と、いつまでもだらだらしていたい末國は、羽毛布団にのめり込んだ。


その日の夕方、久しぶりのまとまった休みだと、佐々木は意気揚々と末國のマンションへと現れた。

「悪いね、いきなり押しかけてきて。高岸先生も一緒なんだって？」

「うん、高岸先生も泊まりでさ」

色々と買い出しで荷物を運ばされた末國は、まぁね…、と玄関扉を友人の前に開ける。

「いくら仕事が恋人ったっていっても、たまには解放されたくってさ」

罪作りなほどの美形はにこやかにぼやき、提げてきた酒瓶を差し出す。

「お前、何これ」

「いや、俺、ここのところずっと午前様で、アルコールには禁欲的な生活を送ってたんだよね。だから、ここへ来る前に前から目をつけてた酒屋に寄っちゃった」

「お前、前にアルコールはなければないでいいって…」

地酒の一升瓶が二本、ワインが三本、焼酎が二本と恐ろしい数の酒瓶を確認し、末國は呻《うめ》く。

袋がさっきの買い出しの荷物以上にやたらとずっしり重いわけだ。こんな重さの酒を飄《ひょう》々《ひょう》と提げてくる佐々木の男前振りには、ただただ感心する。

いくら男が三人とはいえ、高岸などは下戸《げこ》に近い。

酔うとかなり可愛いし、色香も増すし、スケベ度も増してありがたいことこの上ないのだが、佐々木が一緒に一晩飲み倒すとなると、お預け状態の末國にとっては目に毒なばかりだ。

早々に別室に移して、寝かしてしまわないとこっちが横で悶々《もんもん》とする羽目になる。

上機嫌で下手な歌など歌われると、恨めしいやら、気が抜けるやらだ。

この間も佐々木と三人で飲んだ際、それで一晩を丸々無駄にしてしまった。横でピンク色に首許まで染め、ぐんにゃりと力の抜けた高岸に触りたくて、ずっとうずうずしていた。

「なくてもいいんだけど、これは休みなしで頑張《がんば》った俺に対するご褒美《ほうび》？」

「お前、年末も確か、自分にご褒美って…」

「まぁねー、去年も頑張ってたから、俺。たまにご褒美ぐらいいいだろ」

ねぇ…、と佐々木は見事な美丈夫仕様のナイススマイルを末國の後ろに立つ高岸に向ける。

「たまにはいいですよね」

ね…、と佐々木に可愛がられている高岸は、ずいぶん明るい声を上げた。

結果的には、この佐々木の『一緒に事務所をやろうっていうのは、プロポーズと一緒』という言葉が高岸の背中を後押ししてくれたようで、佐々木には頭が上がらないのだが、今の胸中は複雑だ。

女子校の綺麗なお姉様と可愛い妹分のようで…、などと鼻の下を伸ばしていた自分を叱《しか》ってやりたい。意外にこの取り合わせは、末國をほったらかして二人の世界を作り上げてしまう。

「どうぞ、どうぞ。もう、呑《の》める準備もできてますし。俺、今日はタコのアヒージョとかも試してみたいので、はじめませんか？」

「アヒージョって、スペイン料理？　確か、バルで出てくる…」

「ええ、小鍋でオリーブオイルとガーリック、鷹の爪を使って、じっくり風味を出すんです」

「いいなぁ、美味そうだ！　今日は二本ほど、白ワインにしてみたんです。合いますよね？」

「それはもちろん！　やっぱり、赤より白の方がさっぱりしてて合うと思います」

うわぁ…、と末國の受け取った白ワインを紙袋から抜き取りながら、高岸は華やいだ声を上げた。

「末國、本当にお前、いい先生に巡り会えたな！」

その言葉にはたしてどれほどの意味があるのか、佐々木はにこやかに末國の肩を叩くと、玄関先で嬉しそうに靴を脱いだ。

「このサラダ、本当に美味《うま》いな。コクがあっていいですよね」

食べ過ぎるかも…、と佐々木は呟《つぶや》きながら、高岸がはまっているという海老と卵とブロッコリーのサラダを口に運ぶ。

もちろん、アヒージョも美味いし、カルパッチョも美味い。タンドリーチキンも、申し分ない。

上戸の佐々木が選りすぐった地酒も美味いが…、と末國は三本目のワインのコルクを抜く。

高岸はそれなりに自重してかペースを落としているが、佐々木は自分で提げてきた酒なので、遠慮なくグラスを空けている。

「お仕事、お疲れ様です。今日も特捜から直接おいでなんですよね？　後でお風呂にお湯張りますから、ゆっくりつかってください」

どうぞ、どうぞ…、と高岸はアヒージョのオイルにひたして食べるためのバゲットを切っている。

「風呂かー、ありがたいな。終電逃すと、カプセルホテルでシャワーとかもあるからさ」

禁欲的な見かけによらず、剛胆な男は言う。

「カプセルホテルか…、辛くない？　隣の奴の寝言とか、歯軋《はぎし》りとか」

お前ほどの美形がカプセルホテルで寝落ちなんて、それ、下手すれば襲われやしないかと心配で控えめに尋ねてみるが、肝が太い。

「いびきがうるさいとかはあるかな。でも、こっちも疲れてるしさ、コトンと落ちるように寝ちゃうから、一度寝てしまうと気にならないかな」

それとも、これだけ腹が据わった男の寝込みなど襲おうものなら、説教の挙げ句、地検に呼び出しを食らったりするのだろうか。

やはり、この男には手出しせずにいてよかったと、末國は内心で胸を撫で下ろす。

「実家まで帰らず、ホテルで寝起きしてたりするの？」

「うーん、一週間に一、二度は？　だから、風呂でゆっくりできるのはありがたいね」

昔よりも風呂の存在がありがたいと、佐々木は目を細めた。

「もうちょっとしたら、俺の方も事件が落ち着くだろうから、温泉とか行かない？」

乗ったのは高岸だった。

「温泉ですか？　いいですね」

「箱根《はこね》とか、行きたいよね？　この辺だと、熱海《あたみ》あたりもいいのか？」

「あ、いいですよね。梅雨になる前に僕も骨伸ばししたいなぁ」

「え…、本気で行くの？」

温泉はかまわない。むしろ大歓迎なぐらいだが、なぜ、この三人でのセットなのかと末國はたじろぐ。今、この場で話を持ちかけられている以上、佐々木と末國だけという旅行話ではないだろう。

「あれ、温泉嫌いだっけ？」

佐々木は手酌で焼酎をコップに注ぐ手を止め、末國を見た。

「いや、嫌いじゃないけどさ。今、行くわけ？　もう初夏だよ？」

あー…、と佐々木は頷く。

「そういえばお前とは、あんまり温泉だとか、旅館だとかの話はしたことないよな？」

「前にちょっとだけ、コンビニで温泉特集の旅行雑誌見てましたけど…、今時期だと、のぼせる質ですか？　末國先生、割にカラスの行水っていうか、早風呂ですもんね」

高岸も微妙にボケている。

「時期的なものか。なら、しょうがないかな」

佐々木は高岸の作った鯛のあら炊きを美味そうに口に運びながら頷いた。

あまり人の話を聞いてないあたり、佐々木は佐々木で酔っているのかもしれない。普段はもう少し、会話もキレがいい。

「じゃあ、高岸先生、俺と一緒に行きます？」

佐々木がにこやかに高岸に誘いかけるのに、末國は真顔となる。

「いや、行くって、俺も行くけど」

行くけどさー…、と末國は溜息をついた。

「無理しなくていいですよ？　先生、テレビの収録とかで忙しいのは知ってますし」

高岸はこれも箸《はし》休めにどうぞ、と大根と昆布、柑橘《かんきつ》を使った鱠《なます》を佐々木に勧めている。

君はこの状況で、佐々木と二人で温泉に行くことに何ら疑問は感じないのかと、末國は不安になった。

「いや、行くって、ちゃんと予定空けるからさ、いつにする？」

このマジボケと天然ボケの組み合わせなら、本気で自分を置き去りに温泉に行きかねないと、末國は慌ててノートパソコンをテーブルに運んでくる。

「最近って、便利ですよねー。ネットですぐにホテルや旅館調べられて、その場で予約もできますし」

酔いにほんのり頬を染めた高岸は、立ち上がったパソコンの画面をかたわらから覗くと、しみじみ呟く。

「もう、熱海でも箱根でも草津《くさつ》でも、好きなとこ言っちゃってよ」

「料理と酒の美味いところがいい」

妙にきっぱりと佐々木が言い張る。

「温泉メインじゃないの？」

「比率的には同等」

「ですよね、お酒と料理は大事ですよ」

ねー…、などと高岸と佐々木は互いに小首を傾け合っている。

これは高岸も相当にまわってきてるな…、と末國は画面越しに青年弁護士を見た。

意外だが、高岸は酔いで意識を飛ばす境がわかりにくい。いまだに末國には、その境が見きわめられずにいる。

「酒はあれだけど、料理充実させると、やっぱりそれなりにコストかかるよ」

「俺、小金だけは貯まってるから大丈夫。使うところ、ないからねー」

どうりでこの間から、蟹《かに》だの、酒だのと大盤振る舞いするわけだと、末國は佐々木に頷く。

ある種のフラストレーションの発散なのだろうか。

「箱根は有名な高級旅館ありますよね」

「あるね、行ってみたいね、二泊ぐらい」

「佐々木、もう旭川帰る気ないだろ？」

のんびり温泉旅行を打ち立てる男を、末國は横目に睨《にら》んだ。

「僕、北海道行ったことないんですよね」

そういえば…、と佐々木に焼酎を注がれた高岸は、グラスに口をつけながらふうっと溜息をついた。

「え、今度来て下さいよ…って、俺もいつまで旭川にいられるかはわからないんですけど。俺に案内できる範囲は案内しますよ。向こうは掛け値なしに、飯は美味いです」

酒もね、と罪作りな男は微笑む。

「本当ですか？　行っちゃおうかな？　ほら、試験に受かるまではひたすら、勉強、勉強で。やっぱり学生時代に、もっとあちこち行っとけばよかったかなって…」

「君達、まずは温泉でしょう、温泉。北海道の前に、まずは箱根だか、熱海だかを決めて下さい！」

意見の嚙《か》み合わない複数の依頼者を相手にするより質《たち》が悪いと、末國は声を荒げた。


「高岸先生、ほら、起きて…、ベッドまで行ってよ」

末國はテーブルの上に伏しかけた高岸の身体を、かたわらから起こす。

「起きてます、起きてます、寝てません」

ダイジョーブ…、などと呂律《ろれつ》のまわらない酔っ払いは、ふにゃふにゃと腕の中でくずおれる。

「寝てんじゃねーか、この酔っ払いさんめ！」

末國は口の中でぼやきながら、高岸の身体を自分の寝室まで運ぶ。

「トイレはいいの？」

「…ん…」

大丈夫、大丈夫…、とベッドに横たえられた高岸はトロリと微笑む。

「末國センセ…」

普段は滅多に聞けない甘えるような声で呼ばれ、んー…、と末國はぶっきらぼうな顔を作りながらも、高岸の口許に耳を寄せる。

「温泉、楽しみ…、ね？」

無邪気に笑われ、結局、三人でひと部屋を取るハメになった末國も、苦笑する。

「そうだね、楽しみ」

「僕…」

高岸は何か言いかけたようだが、結局、それは言葉にならないままに、ふっと瞼《まぶた》が下がる。

「また、可愛い顔して寝ちゃって…」

畜生…、と今宵《こよい》もお預けを食らう羽目となった末國は、その頰と唇にキスを落とす。

そして、寝室のベッドサイドの灯りだけを残すと、友人の待つリビングへと戻った。

「高岸先生、寝た？」

あれだけたらふく酒を流し込んでおいて顔色ひとつ変えない男は、ダイニングテーブルでグラスを傾けながら振り返った。

「うん、ベッドの上まで行くとあっさり寝ちゃったよ」

末國は風呂のお湯張りボタンを押しながら頷く。次いで、佐々木用のタオルを洗面所に用意し、高岸用に置かれている歯ブラシを棚の裏に隠す。

「なー、末國…」

リビングに取って返すと、佐々木がグラスを眺めながら低い声を出した。

「んー、何？」

「俺、来週もここに来ていい？」

「え、何で？　実家は？」

さすがに来週末の連休は武蔵野《むさしの》にある実家に帰ってくれないかと、末國は酔いも忘れて尋ねた。

「それがさぁ」

佐々木は形のいい眉を曇らせた。

「最近、隙《すき》あらば、うちの親戚のおばさんが見合い写真持って押しかけてくるんだよね…」

「何、お前、結婚するの？」

いずれ機会があれば…、とは言っていたが、実際に佐々木が結婚するとなると、それはそれで穏やかではないと末國も眉を寄せる。

「いや、今はあまり考えたくないっていうか…、そろそろ考えなきゃいけないんだろうけどさ。見合いまでして、慌てて相手選ばなくとも、そのうちに時期が来たら自然に…とかは無理なのかな？」

「まぁ、気持ちはわからなくもないかな」

自分はお断りだが、と末國は頭をかく。

だろ？…、と佐々木には珍しく溜息をついた。

「動物じゃないんだからさ、こう、趣味が仲人みたいなおばさんに、無理矢理手近なところで番《つが》いにされたくないっていうか、借りを作りたくないっていうか。何もその机の上に並べられた五枚の写真の中から、今すぐに選ばなくてもいいだろうとか…」

「うん、言いたいことはわかるな。あれだろ、『一回きりの合コン相手の中から、あなたの人生の伴侶を今すぐに見つけるのよ』って言われてるようなもんだろ？」

「あ、それそれ。そんな感じ。押しが強くて、昔から苦手なんだよねー、あのおばさん。しかも、一度見合いしたら、三ヶ月以内に結納、結婚…みたいな勢いがな…。自分の知ってる限りの釣書かき集めてきてるだけで、俺の好みなんて聞いちゃいないし」

昔から苦手だったおばさんに、今後の人生でずっと仲人面をされたくないというのもあるのだろうが、佐々木には珍しく疲れたような表情で視線を泳がせる。

そんな表情がまた様になってて色っぽい男なのだが、これは高岸の手前、自重しておく。

「検事の俺が言うのもなんだけどさ、逃げ道を塞がれると、逃げたくなるっていうのが人間心理だよな」

「まぁ、そりゃね」

佐々木が見合いなどで結婚を決めれば、それはそれで自分は面白くないのだろうなと、末國は佐々木の前に座り直し、グラスを手に取る。

多分、どんな女がきても面白くない。

こればかりは仕方のないものだ。

佐々木がかたわらから酒を注いでくれる。

「俺さー、こうしていつまでもお前と呑気に酒飲んでたいんだけどさー…」

そういう思わせぶりなことを言うから、末國の悪口を言いふらしているというあの横浜の同期も、うかうかとその気になるのだと、末國は罪作りな男の整った横顔を眺めた。

罪だとは思うが、憎めないところがこの男の魅力だ。

「もしかして、今日うちに泊まってるのも、そのせい？」

「うん、まぁね」

乾杯とグラスを合わせながら、佐々木は笑う。

「でも、お前ばっかり頼ってたら、悪いよな」

「いや、頼ってくれていいんだけどさ…」

来週末が無理なら、週中あたりで高岸と一回…、などと末國は胸の内で算段する。

「でも、高岸先生とも、そろそろ事務所立ち上げるって話になってるんじゃないの？」

「立ち上げはまだ無理じゃない？　高岸先生、二十八歳だしさ。せめて、三十越えるぐらいは…」

「先の長い話だねぇ」

「うん、でも、楽しみだよ」

末國は目許をやわらげる。

「俺はその頃、どこで何してるかなぁ？」

佐々木も楽しげに目許を和ませ、美味そうに酒を口に含んだ。


「へぇ、佐々木さんが来週も…、大変そうですね、親戚のおばさんのお見合い攻勢…」

翌日の昼間、佐々木が和室で寝込んでいる間にブランチを用意している高岸は、末國のジレンマなど思いあたりもしないような顔で同情した。

「で、昨日は僕が寝た後、そんな話を？」

「うん、後、俺と先生の事務所立ち上げの展望とか？」

末國はでれっと鼻の下を伸ばす。

「前から思ってたんですけど…」

高岸はやや生真面目な顔を作ると、首をひねった。

「…先生、けっこう、お金儲けが好きじゃありませんか？」

えー…、と末國は軽薄な笑いを浮かべてみせた。

「お金儲けが好きっていうかさ、常に潤沢な懐具合でいたいっていうの？　いつも台所事情を考えながら働くのって、嫌じゃない？」

「すみませんね、常に台所事情を気にしなけりゃならない薄給で」

むぅ…、と高岸は唇を尖らせてみせた。

「だいたい、麹町《こうじまち》にオフィスビルを構えようとすると…」

高岸はブランチの用意をそっちのけで、この間、もらってきたらしい不動産のチラシのかたわらに数字を書き込んでいる。

薄給だと嘆《なげ》く分、このあたりはかなりの堅実派で頼もしい。

「やっぱりしばらくはお客さんが来ないことを前提に、テナント料、光熱費、人件費…、そういったものを最低一年分は貯蓄しておきたいわけですよ」

三十前後のベテラン女性事務員の給与相場が…、などと高岸はブツブツ計算している。

一応、高岸は高岸なりに考えてくれているらしい。

「そんなこんなで、やっぱり僕も三十五歳ぐらいまでは、今の事務所で雇って頂いて…」

「えー、先生が三十五だったら、俺、四十一歳になっちゃってるよ？」

「腹が出ないように頑張ってくださいね」

ひやかしなのか、素の反応なのか、高岸は真顔で頷いた。

「腹ってさぁ…、そりゃ、努力もするけど」

そんなことより週中の予定だと、末國はコーヒーサーバーを手に高岸の手許を覗き込む。

「ねぇ、先生、それより今日、明日と、来週末が駄目なら週中さぁ…」

抱きがいのあるほっそりとした腰に腕をまわすと、ぴしっと景気よく払いのけられる。

「いつ、佐々木さんが起きてらっしゃるかわかりませんから」

「いや、だからこそ今の間に親交を深めたいっていうか…」

ちょっとぐらい触らせろよ、と愛する友人に蜜月を邪魔されている男は、ブツブツと口中でこぼした。

あとがき

かわいです、この度はお手にとっていただいてありがとうございます。

タイトルを見ていただいてもわかるように、今回はラブコメ目指してみました。もとは雑誌掲載だったのですが、ああ言えばこう言うという、仲がいいんだか悪いんだかわからないのがいい二人というのが、担当さんのリクエストだったことは覚えています。

同期同士はどうかと思ったのですが、そこは年齢差があった方がいいということで、こんな二人となりました。同期なら同期で、また違った雰囲気になっていたかなと思います。そういうのも、今度やってみたいですね。

末國《すえくに》はかなり喰えない男というのか、よくテレビでコメンテーターとして喋ってるような弁護士の先生をイメージしてみました。口数多くて、ちょっと胡散臭い感じと申しましょうか。

どうしてもニュースで取り上げられるような弁護士は、あんた、それ、世間一般の常識に照らし合わせてどうよ、というような主張を繰り広げられる方が目についてしまうので、最近は弁護士といえば非常識で喧嘩っ早くて、法律論振りかざすような嫌な奴という雰囲気もありますが、ほとんどの弁護士さんは地味にコツコツお仕事されてます。

世の中の弁護士さんが皆、おしゃべり好きというわけではないので、必要なこと以外は話さない先生も多くいらっしゃいます。ようするに、短い言葉で端的に自分の主張を伝えられたら、それがベストなわけですもんね。なので、高岸《たかぎし》のいる谷崎《たにざき》・三和《みわ》法律事務所のように、全体的に物静かな雰囲気の弁護士事務所も相当数あると思います。むしろ、普通はそっちの方が多いかも知れません。

新司法試験制度の発足で弁護士が供給過多だと言われてますが、高岸はそのすこーし前に苦労して試験に受かった組だと思ってください。

多分、高岸は末國に会っていなければ、もっときっちりした真面目な弁護士組だと思います。結構早い段階で、末國にほだされちゃったのが事故のもとというか…。

うん、でも、そんなこんなでしたが、書いていてとてもコミカルで楽しいお話でした。ライトに読んで頂けると、すごく嬉しいです。


…そういえば、末國…。実はリンクスさんで書いてる、「天使のささやき」っていう本の主人公、峯神《みねかみ》と同い年なんだ…。テイストが似てるようで、似てない二人…っていうか、峯神のほうが中身はかなり繊細…？　いや、末國も繊細なところがないわけではないと思うのですが…、多分…。でも、かなり図太いよね。こういうしたたかな人間もけっこう好きですが…。

今回、イラストをいただいた高峰顕《たかみねあきら》先生、キュートでポップな挿画をありがとうございました。雑誌掲載時には、とんでもないご迷惑をおかけした記憶が…、すみません。

でも、傍若無人な末國がどこか抜けてて可愛く見えるのは、高峰先生が描いてくださった末國がいい男風なのに、どこか憎めない印象だからだと思います。

そういえば、末國と高岸のイメージは、高峰先生がリンクスさんの雑誌の表紙で描かれていた二人をもとにイメージを起こしたのでした。勝手なことをしまして、申し訳ないです。そりゃ、個人的にイメージ通りなはず…っていうより、私がもともと高峰先生のイラストに沿って話を作ってるのでした。この場をお借りしまして、あらためてお礼を申し上げます。ありがとうございました。

そうだ、担当様、以前にも申し上げたんですが、私、個人的には佐々木《ささき》検事のような爽やか好青年風の男が、ドロドロのグッチョグチョにされるようなお話がやってみたいです！　あの時はさっくり流されてしまったような気がしますが、ここでもう一度、言っておきたいと思います。

私は佐々木のような男がもっとブラックなテイストの男にドロドロのグッチョグチョに泣かされるような話が、大好きです。なので、いつかまたぜひぜひ、よろしくお願いします！　…でも、まあ、あれよね。どんな話も、こんな話が書きたいんです！　…っていってる時が、いつも一番幸せな気がします…。

そして、ここまでおつきあいくださった皆様方も、どうもありがとうございました。何でこんな、あれこれ書いているのかと申しますと、ページ数の調整上の話なのでございます。

だからといって、こんな無駄話を読まされたというわけではありませんよぅ。だって、この話、リンクスロマンスでマックスの一ページ十九行だからです。普通の新書より、一ページあたり二行も多いのでございます。

雑誌分に加筆と書き下ろしを加えたくて、マックスでお願いします…と言ったことを、今、これを打ちながら、実はすごく後悔してたりします。

うん、あと十分でこれを担当さんに送らなきゃいけないんだ…（今、東京のホテルで泣きそうになりながら、これを打ってます）。

普段はあとがきに書きたい事って、ものすごく一杯あるのに、なぜ、こういう時に限ってほとんど出てこないんでしょうね。

あ、そうだ、昨日、世田谷文学館で行われている、クラフト・エヴィング商会の「星を賣《う》る店」という展覧会にいきました。長くクラフト・エヴィング商会さんのファンだけど、実物を見られて嬉しかったです。胡散臭くて、妖しくて…、三月末までですので、ギリギリですが興味のある方はぜひ、いらしてください。

同じ世田谷文学館で展示されていたからくり物語…みたいな装置も、すごく面白かったです。オルゴールみたいに、ひとつずつからくりを動かして見せてくださるの。

さて、これで五ページ終わった。

もう、部屋を出なければ…。

それでは、またどこかでお目にかかれますよう…。

かわい有美子《ゆみこ》拝

LYNX ROMANCE

天使《てんし》のささやき 2

かわい有美子

illust. 蓮川愛

本体価格
855円+税

警視庁警護課でSPとして勤務する名田は、同じくSPの峯神とめでたく恋人同士となる。二人きりの旅行やデートに誘われ、くすぐったくも嬉しく思う名田。しかし、以前からかかわっている事件は未だ解決が見えず、名田はSPとしての仕事に自分が向いているのか悩んでいた。そんな中、名田が確保した議員秘書の矢崎が不審な自殺を遂げる。ますますきな臭くなる中、名田たちは引き続き行われる国際会議に厳戒態勢で臨むが…。

LYNX ROMANCE

天使《てんし》のささやき

かわい有美子

illust. 蓮川愛

本体価格
855円+税

警視庁機動警護担当で涼しげな顔立ちの名田は、長年憧れを抱いていた同じSPの峯神と一緒の寮に移ることになる。接する機会が増え、峯神からSPとしての的確なアドバイスを受けるうち、憧れから恋心に徐々に気持ちが変化していく。そんな中、ある国の危険人物を警護することになり、いい勉強になると意気込んでいた名田だったが、実際に危険が身に迫る現実を目にし、峯神を失うかもしれないと恐怖を感じ始め…。

LYNX ROMANCE

銀《ぎん》の雫《しずく》の降《ふ》る都《みやこ》

かわい有美子

illust. 葛西リカコ

本体価格
855円+税

レーモスよりエイドレア辺境地に赴任しているカレル。三十歳前後の見た目に反し、実年齢は百歳を超えるカレルだが、レーモス人が四、五百年は生きる中、病気のため治療を受け続けながら残り少ない余命を淡々と過ごしていた。そんなある日、内陸部の市場で剣闘士として売られていた少年を気まぐれで買い取る。ユーリスと名前を与え、教育や作法を躾けるが、次第に成長し、全身で自分を求めてくる彼に対し徐々に愛情が芽生え…。

LYNX ROMANCE

Zwei《ツヴァイ》

かわい有美子

illust. やまがたさとみ

本体価格
855円+税

捜査一課から飛ばされ、さらに内部調査を命じられてやさぐれていた山下は、ある事件で検事となった高校の同級生・須和と再会する。彼は、昔よりも冴えないくすんだ印象になっていた。高校時代に想い合っていた二人は自然と抱き合うようになるが、自らの腕の中でまるで羽化するように綺麗になっていく須和を目の当たりにし、山下は惹かれていく。二人の距離は徐々に縮まっていく中、須和が地方へと異動になることが決まり…。

LYNX ROMANCE

甘《あま》い水《みず》2

かわい有美子

illust. 北上れん

本体価格
855円+税

SIT—警視庁特殊班捜査係に所属する遠藤は、一期下である神宮寺に告白され、同僚以上恋人未満の関係を続けていた。母を亡くした際の後悔から、自分が自ら生きることも死ぬことも選べなくなった時には、生命維持装置を止めて欲しいと考えていた。そしてその役目を神宮寺に託したいと、次第に思うようになる。そんな中、鄙びた旅館で人質立てこもり事件が起こり、遠藤たちは現場へ急行するが…。

LYNX ROMANCE

甘《あま》い水《みず》

かわい有美子

illust. 北上れん

本体価格
855円+税

SITと呼ばれる警視庁特殊班捜査係に所属する遠藤は、新たに配属されてきた神宮寺のことが気に食わなかった。かつてSATにいた頃、一年下の彼に馬鹿にされたことがあり、嫌われていると思っていたからだ。しかし神宮寺は何かと自分に近づき、挙句突然キスをしてきた。戸惑い悩む中、誘拐事件が起こり、神宮寺と行動することになってしまう。話をし、嫌われている訳ではないと知った遠藤は、徐々に彼に気を許し始めるが…。

LYNX ROMANCE

天国《てんごく》より野蛮《やばん》

かわい有美子

illust. 緒田涼歌

本体価格
855円+税

永劫の寿命を持つ堕天使で高位悪魔であるオスカーは、永く退屈な時間の中、暇を持て余していた。ある日、下級淫魔のロジャーが、一人の美しい神学生をつけ狙っているところに遭遇する。ほんの気まぐれに興味を覚えたオスカーは、人間のふりをしてその神学生・セシルに近づくが、すべてを諦観した彼はいっこうに心を明け渡さなかった。徐々にセシルに惹かれていくオスカーは、彼と共に生きたいと願うようになるが…。

LYNX ROMANCE

人《ひと》でなしの恋《こい》

かわい有美子

illust. 金ひかる

本体価格
855円+税

青山の同潤会アパートに居を構える仁科は、伝奇小説や幻想小説などを主軸とした恋愛小説を書き、生計を立てていた。独特の色香を持つ仁科は、第一高等学校時代に仲の良かった友人二人に、異なる愛情を抱いている。無垢な黒木には庇護欲と愛おしみ、懐深く穏やかな花房にはせつない恋慕と情欲を。しかし、仁科は黒木に内緒で、花房とひそやかな逢瀬を重ねていた。そんなある日、花房とじゃれあう現場を彼に見られてしまい…。

LYNX ROMANCE

危険《きけん》な遊戯《ゆうぎ》

いとう由貴　illust. 五城タイガ

本体価格 855円＋税

裕福な家柄で華やかな美貌の高瀬川和久は、誰とでも遊びで寝る奔放な生活を送っていた。ある日、和久はパーティで兄の友人・下條義行に出会う。初対面なのに不躾な言葉で自分を馬鹿にしてきた義行に腹を立て、仕返しのため彼を誘惑して手酷く捨ててやろうと企てた和久。だがその計画は義行に見抜かれ、逆に淫らな仕置きをされることになってしまう。抗いながらも、次第に快感を覚えはじめた自分に戸惑う和久は…。

LYNX ROMANCE

空《そら》を抱《いだ》く黄金竜《おうごんりゅう》

朝霞月子　illust. ひたき

本体価格 855円＋税

のどかな小国・ルイン国で平穏に暮らしていた純朴な第三王子・エイプリルは、祖国の支えになりたいと、出稼ぎのため世界に名立たるシルヴェストロ国騎士団へ入団することに。ところが、破壊王と呼ばれる屈強な団長・フェイツランドをはじめ、くせ者揃いの騎士団で大苦戦、仕送りどころか、生きるのに精一杯。さらに豪快で奔放なフェイツランドに気に入られたエイプリルは、朝から晩まで、執拗に構われるようになり…。

LYNX ROMANCE

臆病《おくびょう》なジュエル

きたざわ尋子　illust. 陵クミコ

本体価格 855円＋税

地味だが整った容姿の湊都は、浮気性の恋人と付き合い続けたことですっかり自分に自信を無くしてしまっていた。そんなある日、勤務先の会社の倒産をきっかけに高校時代の先輩・達祐のもとを訪れることになる湊都。達祐を慕っていた湊都は、久しぶりの再会を喜ぶが、達祐から「昔からおまえが好きだった」と突然の告白を受ける。強引な達祐に戸惑いながらも、一緒に過ごすことで湊都は次第に自分が変わっていくのを感じ…。

LYNX ROMANCE

カデンツァ3 ～青の軌跡〈番外編〉～

久能千明　illust. 沖麻実也

本体価格 855円＋税

ジュール＝ヴェルヌより帰還し、故郷の月に降り立ったカイ。自身をバディ飛行へと駆り立てた原因でもある義父・ドレイクとの確執を乗り越えたカイは、再会した三四郎と共に『月の独立』という大きな目的に向かって邁進し始めた。そこに意外な人物まで加わり、バディとしての新たな戦いが今、幕を開ける――！そして状況が大きく動き出す中、カイは三四郎に『とある秘密』を抱えていて…？

LYNX ROMANCE

ファーストエッグ 1

谷崎泉　illust. 麻生海

本体価格
855円＋税

風変わりな刑事ばかりが所属する、警視庁捜査一課外れの部署『五係』。中でも佐竹は時間にルーズな問題刑事だ。だが、こと捜査においては抜群の捜査能力を発揮していた。そんな佐竹が抱える態度以上の問題は、とある事件をきっかけに、元暴力団幹部である高御堂が営む高級料亭で彼と同棲し、身体だけの関係を続けていること。佐竹はその関係を断つことが出来ないでいた。そんな中、五係に真面目で堅物な黒岩が異動してきて…？

LYNX ROMANCE

ワンコとはしません！

火崎勇　illust. 角田緑

本体価格
855円＋税

子供の頃、隣の家に住んでいたお兄さん・仁司のことが大好きだった花岡望。一緒に愛犬タロの散歩にいったり、本当の兄のように慕っていたが、突然彼の一家が引っ越してしまう。さらに同じ日にタロが事故に遭い、死んでしまった。そして大学生になったある日、望はバイト先のカフェで仁司と再会する。仁司としばらく楽しい時間を過ごしていたが、タロの遺品である首輪を見せた途端、彼は突然望の顔を舐め、「ワン」と鳴き…？

LYNX ROMANCE

赦《ゆる》されざる罪《つみ》の夜《よる》

いとう由貴　illust. 高崎ぼすこ

本体価格
855円＋税

精悍な容貌の久保田貴俊は、ある夜バーで、淫らな色気をまとった上原慎哉に声をかけられ、誘われるままに寝てしまう。あくまで『遊び』のはずだったが、次第に上原の身体にのめり込んでいく貴俊。だがある日、貴俊は上原の身体をいいように弄んでいる男の存在を知る。自分に見せたことのない表情で命じられるまま自慰をする上原に言いようのない苛立ちを感じるが、彼がある償いのために、身体を差し出していると知り…。

LYNX ROMANCE

竜王《りゅうおう》の后《きさき》

剛しいら　illust. 香咲

本体価格
855円＋税

皇帝を阻む唯一の存在・竜王が妻を娶り、その力を覚醒させる——予言を恐れた皇帝により、村は次々と焼き払われた。そんな村跡で動物と心を通わせられる穏やかな青年・シンは、精悍な男を助ける。男は言葉も記憶も失い、日常生活すら一人では覚束ない様子。シンは彼をリュウと名付け、共に暮らし始めたが、ある夜、普段の愚鈍な姿からは思いもよらない威圧的な態度のリュウに、自分は竜王だと言われ、無理やり体を開かれて——。

LYNX ROMANCE

天使強奪《てんしごうだつ》

六青みつみ　illust. 青井秋

本体価格
855円+税

身体、忍耐力は抜群だが、人と争うことが苦手なクライスは、王室警護士になり穏やかな毎日を送っていた。そんなある日、王家の一員が悪魔に憑依され、凄腕のエクソシスト『エリファス・レヴィ』がやってくる。クライスはひと目見て彼に心を奪われるが、高嶺の花だと諦める。だが、自分でも知らなかった『守護者』の能力を買われ彼の警護役に抜擢される。寝起きをともにする日々に、エリファスへの気持ちは高まってゆき…。

LYNX ROMANCE

裸執事《はだかしつじ》～縛鎖～

水戸泉　原作:マーダー工房　illust. 倒神神倒

本体価格
855円+税

大学生の前田智明は、仕事をクビになり途方に暮れていた。そんな時、日給三万円という求人を目にする。誘惑に負け指定の場所に向かった智明の前に現れたのは、豪邸と見目麗しい執事たち…。アルバイトの内容はなんとご主人様として執事を従えることだった。はじめは当惑したが、どんな命令にも逆らわない執事たちに、サディスティックな欲望を覚えはじめた智明。次第にエスカレートし、執事たちを淫らに弄ぶ悦びに目覚め——。

LYNX ROMANCE

マジで恋《こい》する千年前《せんねんまえ》

松雪奈々　illust. サマミヤアカザ

本体価格
855円+税

平凡な大学生の真生は突然平安時代にタイムスリップしてしまう。なんと波長が合うという理由で、陰陽師・安倍晴明に心と身体を入れ替えられてしまったのだ。さらに思う存分現代生活を満喫したいという晴明のわがままにより、三カ月の間平安時代で彼の身代わりをする羽目に。無理だと断るが、晴明が残した美貌の式神・佐久に命じられるままなんとか晴明のふりをする真生。そんな中、自分を支えてくれる佐久に惹かれていくが…。

LYNX ROMANCE

身代《みが》わり花嫁《はなよめ》の誓約《せいやく》

神楽日夏　illust. 壱也

本体価格
855円+税

柔らかな顔立ちの大学生・珠里は、名門・鷲津家に仕える烏丸家の跡取りとして、鍛錬に励む日々を送っていた。そんなある日、幼い頃から仕えてきた主の威仁がザーミル王国のアシュリー姫と婚約したと聞かく。どこか寂しさを覚えつつも、威仁の婚約者を守るため、人前ではアシュリー姫の身代わりを引き受けることになった珠里。だが身代わりの筈なのに、まるで本物の恋人のように扱ってくる威仁に次第に戸惑いを覚えはじめて…。

LYNX ROMANCE

蝕《むしば》みの月《つき》

高原いちか　illust. 小山田あみ

本体価格 855円+税

画商を営む汐方家の三兄弟、京、三輪、梓馬。三人の関係は四年前、病で自暴自棄になった次男の三輪を三男の梓馬が抱いたことで、大きく変わった。血の繋がらない梓馬だけでなく、二人の関係を知った長男の京まで三輪を求めてきたのだ。幼い頃から三輪を想ってくれた梓馬のまっすぐな気持ちを嬉しく思いながら、兄に逆らえず身体を開かれる三輪。実の兄からの執着と、義理の弟からの愛情に翻弄される先に待つものは――。

LYNX ROMANCE

ネコミミ王子《おうじ》

茜花らら　illust. 三尾じゅん太

本体価格 855円+税

母が亡くなり、天涯孤独となった千鶴の元に、ある日、存在すら知らなかった祖父の弁護士がやって来る。なんと、千鶴に数億にのぼる遺産を相続する権利があるらしい。しかし、遺産を相続するには士郎という男と一緒に暮らし、彼の面倒を見ることが条件だという。しばらく様子を見るため、一緒に暮らし始めた千鶴だが、カッコイイ見た目に反して、ワガママで甘えたな士郎。しかも興奮するとネコミミとしっぽが飛び出る体質で…。

LYNX ROMANCE

幼《おさな》馴《な》染《じ》み～荊《いばら》の部屋～

沙野風結子　illust. 乃一ミクロ

本体価格 855円+税

母の葬儀を終えた舟の元に、華やかな雰囲気の敦朗が訪ねてくる。二人は十年振りに再会する幼馴染みだ。十年前、地味で控えめな高校生だった舟は、溌剌とした輝きを持つ敦朗に焦がれるような想いを抱いていた。だが親友ですらない、ただの幼馴染みであることに耐えかねた舟は、敦朗と決別することを選んだ。突然の来訪に戸惑い、何も変われていないことに苛立ちを覚える舟の脳裏に、彼との苦しくも甘美な日々が鮮明に甦り――。

LYNX ROMANCE

マルタイ ―SPの恋人―

妃川螢　illust. 亜樹良のりかず

本体価格 855円+税

来日した某国首相の息子・アナスタシアの警護を命じられた警視庁SPの室塚。我が儘セレブに慣れていない室塚は、アナスタシアの奔放っぷりに唖然とする。しかも、彼の要望から二十四時間体制で警護にあたることに。買い物や観光に振り回されてぐったりする反面、室塚は存外それを楽しんでいることに気付く。そして、アナスタシアの抱える寂しさや無邪気な素顔に徐々に惹かれていく。そんな中アナスタシアが拉致されしまい…。

LYNX ROMANCE

咎《とが》人《びと》のくちづけ

夜光花 illust. 山岸ほくと

本体価格
855円+税

魔術師・ローレンの元に暮らしていた見習い魔術師のルイ。彼の遺言で森の奥からサントリムの都にきたルイに与えられた仕事は、セントダイナの第二王子・ハッサンの世話をすることだった。無実の罪で陥れられ亡命したハッサンは、表向きは死んだことにして今ではサントリムの『淵底の森』に匿われていた。物静かなルイは気に入ったハッサンは徐々にルイにうち解けていく。そんな中、セントダイナでは民が暴動を起こしており…。

LYNX ROMANCE

略《りゃく》奪《だつ》者《しゃ》の純《じゅん》情《じょう》

バーバラ片桐 illust. 周防佑未

本体価格
855円+税

社長秘書を努める井樋響生のもとに、ある日荒賀組の若頭である荒賀侑真が現れた。荒賀とは小学校からの幼なじみで、学生時代には唯一の友人だったが十年振りに再会した彼は、冷徹で傲岸不遜な男に変わっていた。そんな荒賀に会社の悪評を流され、連日マスコミの対応に追われる響生。社長の宮川に恩を感じている響生は、会社の窮地を救おうと奔走するが荒賀に「手を引いてほしければおまえの身体で奉仕しろ」と脅迫されて…。

LYNX ROMANCE

おとなの秘《ひ》密《みつ》

石原ひな子 illust. 北沢きょう

本体価格
855円+税

男らしい外見とは裏腹に温厚な性格の恩田は、職場で唯一の男性保育士として日々奮闘していた。そんなある日、恩田は保育園に息子を預けに来た京野と出会う。はじめはクールな雰囲気の京野にどう接していいか分からなかったものの、男手ひとつで慣れない子育てを一生懸命やっている姿に惹かれていく恩田。そして、普段はクールな京野がふとした時に見せる笑顔に我慢が効かなくなった恩田は、思い余って告白してしまって…！

LYNX ROMANCE

暁《あかつき》に堕《お》ちる星《ほし》

和泉桂 illust. 円陣闇丸

本体価格
855円+税

清澗寺伯爵家の養子である貴郁は、抑圧され、生の実感が希薄なまま日日を過ごしていた。やがて貴郁は政略結婚し、奔放な妻と形式的な夫婦生活を営むようになる。そんな貴郁の虚しさを慰めるのは、理想的な父親像を体現した厳しくも頼れる義父・宗晃と、優しく包容力のある義兄・篤行だった。だがある夜を境に、二人から肉体を求められるようになってしまう。どちらにも抗えず、義理の父兄と爛れた情交に耽る貴郁は…。

初出

オオカミの言い分	２０１２年 リンクス１０、１１月号掲載
オオカミの嘆き	書き下ろし

この本を読んでのご意見・ご感想をお寄せ下さい。

〒151-0051
東京都渋谷区千駄ヶ谷4-9-7
(株)幻冬舎コミックス　リンクス編集部
「かわい有美子《ゆみこ》先生」係／「高峰《たかみね》 顕《あきら》先生」係

リンクス ロマンス

オオカミの言い分

2014年3月31日　第1刷発行

著者……………かわい有美子《ゆみこ》
発行人…………伊藤嘉彦
発行元…………株式会社　幻冬舎コミックス
〒151-0051　東京都渋谷区千駄ヶ谷4-9-7
TEL 03-5411-6431（編集）
発売元…………株式会社　幻冬舎
〒151-0051　東京都渋谷区千駄ヶ谷4-9-7
TEL 03-5411-6222（営業）
振替00120-8-767643
印刷・製本所…株式会社　光邦
検印廃止

ISBN978-4-344-83089-9 C0293
Printed in Japan

幻冬舎コミックスホームページ　http://www.gentosha-comics.net